案例解析

超高效 心智圖法入門

輕鬆學會用心智圖
作學習筆記、工作管理、
提升記憶和創意發想

孫易新——著
華人心智圖法大師

學習「如何學習與思考」的心智圖法

中華民國社區教育學會理事長 林振春

從認知學習的觀點來看，每個人身上都帶有一套相當個人化的心智模式（認知基模），一方面反映我們的經驗和世界觀，一方面指導感覺器官賦予環境訊息對自我的意義。我們每天都可能在工作中學習，增長知識，調整轉化個人現有認知基模中的經驗和觀念，進而創造出新的認知基模。為達此一目的，建構一套知識增長與調整的機制，自有其重要性與必要性。

心智圖是反映出我們心智思維模式的一張圖，心智圖法均衡運用到大腦的心智能力，以及植基於語意學所形成的視覺化組織圖，能強化思緒的發想與組織、知識內容的理解與記憶，是一種有效創造建構認知基模的方法。

本書的特色在於，作者不僅深入淺出解說心智圖法操作步驟，還提供不少實務案例，分析其優缺點，讓讀者可以很快習得心智圖法的精要。同時，也在每一章節之後，規劃了學習單，讓讀者實際操作演練，達到更佳的學習成效。可說是心智圖法初學者最佳的工具書，因此特地為文推薦之。

見林也見樹的創新學習

就讀博士班期間，在「教育哲學」這堂課上，教授要我們事先閱讀諾貝爾文學獎得主大江健三郎的暢銷書《為什麼孩子要上學》，然後在課堂上進行討論。

真的是很震撼的一堂課，現在很難用文字描述我當時的心境。我只能說，這堂課讓年過半百的我，感動得差點落淚。

為什麼？讀完大江健三郎這本書給我的最大啟示是：將自己的知識無私地分享出去，就是生命的延續。而這個想法也巧妙地呼應了蔣介石在《中國的命運》中所提到的：「生命的意義，是創造其宇宙繼起的生命；生活的目的，在增進我人類全體的生活。」

大江健三郎書中的幾行字，改變了我的人生觀，也督促了我在2014年2月出版《心智圖法理論與應用》。當我把書稿交給出版社的那一剎那，一股幸福愉悅感浮上心頭。

我開心地笑了。

是因為我終於出版了一本書，晉升為作家很高興嗎？

不是，我在之前就已經出版心智圖法相關書籍近二十冊。但是在這本書當中，我將多年來教學的經驗與研究成果，詳細、無私的大公開，除了得到來自四面八方許許多多讀者的讚譽，認為是寫得最專業、詳實的一本心智圖法專書之外，也在2015年7月獲得文化部評選為適合高中以上學生閱讀的優良讀物。同年8月北京時代華文書局也出版了簡體版，以饗大陸地區的讀者。

我開心地笑了，是因為我一點都不害怕死亡，我的生命可以透過書中文字一直延續下去。為什麼孩子要上學？因為透過學習，我們吸取了前人的智慧、延續了前人的生命！

2015年春末夏初，應商周出版邀請，撰寫一本適合初學者，讓讀者能按圖索驥學習心智圖法的操作入門書，二話不說，我當場答應了。目的很簡單，我希望與大家的生命融為一體，看到有越來越多的人，因為學會使用心智圖法，因而增進了生活品質。

英國大文豪培根說：「天賦智能如同大自然的花草樹木，需要用學習來修剪。」科學家愛因斯坦也強調：「學習知識要善於思考、思考、再思考。」

「學習」可以活絡腦神經；

「學習」可以讓身體更健康；

「學習」可以增進幸福感。

「心智圖法」是提升學習力與思考力的好方法，本書是陪伴你「終身學習」的好夥伴。

孫易新

Contents / 目錄

不知道你是否也有下列困擾……

記憶力不好

抓不到考試重點

看不懂課文

沒時間讀書

注意力不集中

沒興趣讀書

對自己沒信心

邏輯能力不好

缺乏創意

不會作計畫

不懂得時間管理

溝通不良

缺乏問題意識

分析能力差

以上是我20年的教學過程中，從學生身上看到共通的困惑。如果也有幾個項目出現在你的身上，千萬別太擔心，那只不過是大多數人都會面臨的問題而已。

在本書當中，我將為大家介紹如何以心智圖為工具，透過幾個輕鬆簡單的步驟，大幅提升思考與學習能力，解決你的困擾！

– Part –

1

混沌之初

心智圖的誕生

第一章

認識心智圖法

愛因斯坦說：「想像力比知識更重要。」

這句話充分說明了，如果缺乏思考能力，再怎麼用功努力，知識的吸收成效仍是有限；就算學會快速記憶技巧，勉強能應付眼前的考試，但考完就忘記，或根本不懂得將所學的知識應用到生活之中，這樣的學習有意義嗎？

歷史上諸多傑出人士，例如孔子、蘇格拉底、達文西、愛因斯坦等，他們的大腦都是用來思考，而不只是囤積一大堆文字、數字。換句話說，唯有懂得思考，才能引起好奇心，培養追根究柢的精神，形成主動學習的習慣。

因此，在社會環境快速變遷的二十一世紀，思考力與學習力是關鍵的競爭力。

● 圖1-1 穿越時空智慧四重奏

心智圖法（Mind Mapping）是採用英國學者東尼・博贊（Tony Buzan）在1974年提出的「心智圖」（Mind Map）做為「動態」處理訊息主要工具，藉以達到能夠有效提升大腦思考與學習能力的方法。

「心智圖法」含有動作的意思，是一種融入思考與判斷的心智程序（Mental Process），其理論基礎涵蓋了認知心理學、語意學、組織圖、色彩學與圖像學等。

許多以心智圖法為研究主題的論文，均證明它是一種可以有效提升思考與學習能力的方法，因此已經被超過2000家以上跨國企業導入到工作流程之中，各級學校也紛紛採用心智圖法做為老師教學的輔助工具與學生的學習方法。

第一節　心智圖法的源起與定義

心智圖法的源起

心智圖法是以視覺化的圖表與圖像為工具，呈現我們心智思維運作歷程與結果的方法。

遠古時期的人類就懂得將生活中的意象，在洞穴中以壁畫的方式記錄下來；隨著文明的進步，圖像逐漸轉成指意性更明確的象形文字，例如「山、水」；到了近代，除了各種文字之外，還將思考的模式、因果關係、邏輯結構等，以圖表方式來進行溝通。

● 圖1-2 心智圖法的源起：視覺化思考

因此，以視覺化的「圖表」、「圖像」來比喻或象徵（figurative）心智思維的方法，自古即有，是祖先累積下來的智慧，是人類共同的寶貴資產。

過去對於「誰是心智圖法的發明人」這個議題，常常引起很大的爭議。從上述說明，各位應可明白，心智圖法所涵蓋內容與我們人類文明發展息息相關，是人類集體智慧的累積。

博贊植基於訊息處理、腦細胞的結構、大腦皮質功能等元素，在《*Use Your Head*》、《*The Mind Map Book*》等書中提出關於大腦認知與記憶的相關原理，也是引用其他學者的理論，包括十九世紀末期德國心理學家赫爾曼・艾賓浩斯（Hermann Ebbinghaus）所研究的系列位置效應（The Serial Position Effect）與遺忘曲線（Forgetting curve）；博贊所謂的放射性思考（Radiant Thinking）模式，與日本學者今泉浩晃博士從藏傳佛經中成功解密曼陀羅的智慧，所提出九宮矩陣的放射性思考，在結構上非常類似；而我們祖先的智慧《易經》當中的太極思考，不僅具有放射性思考的模式，其中更蘊含著深厚的哲理。

由此可見，人類對提升大腦思考與記憶能力的努力，自古至今從未間斷，大家都是「心智圖法」的共同創造者，而且持續創造中。

心智圖的誕生

由於心智圖法是吸收資訊與呈現思想的方法，那麼就與我們表達意思時的語言結構有關。1960年代美國西北大學的柯林斯（Allan M. Collins）教授在從事語意學相關研究時發現，透過視覺形式的組織圖是一種有效呈現人類語法知識的方式，因此提出了「語意網絡圖」（semantic network），由於語意網絡圖已經具備今天我們所熟知心智圖的雛形，因此柯林斯也被稱之為「現代心智圖之父」。

爾後，英國心理學家博贊受到一般語意學（General Semantics）的影響，於1971年進一步提出現今我們所熟知的，運用到關鍵字、放射性思考結構、圖像與色彩的心智圖，並在1974年透過《心智魔法師》（*Use Your Head*）這本書正式向世人介紹被喻為大腦瑞士刀的心智圖。1991年與范達・諾斯（Vanda North）在《*GET HEAD:Mind Map Your Way to Success*》一書中指出：**心智圖（Mind Map）的概念定義是「心智地圖」（Map of Your Mind），意思就是呈現出大腦思考內容的一張圖。**

從柯林斯與博贊的研究中，可以窺知心智圖的源起或其結構都與語意學有著密不可分的關係，因此透過心智圖呈現出來的內容，包括了語意及語法的知識。

心智圖法的定義

心智圖法乃植基於認知心理學、語意學、組織圖、色彩學、圖像學及腦神經科學等相關理論，所發展出能夠有效提升思考力與學習力的方法。因此，可用於心智圖法的工具非常多，特別是視覺化的組織圖，更能發揮心智圖法的效用。

希臘哲學家亞里斯多德（Aristotélēs）也指出：「思考事情時，若要讓想法源源不絕地展開，必須採用視覺化的形式。」這是因為人類喜歡以視覺化的方式來呈現資訊或記憶事物。所以，運用到圖像、色彩、空間、文字、數字等元素的「心智圖」，便成為心智圖法最主要的工具。

根據上述對視覺思考的說明與心智圖法的源起，我們可以進一步理解，**廣義的心智圖法是一種以各種圖像、圖表來呈現心智程序或記錄知識的方法；狹義的心智圖法則是以心智圖為工具的思考或學習方法。**

換言之，狹義的心智圖法是一種使用心智圖做為工具，以有效提升大腦思考力與學習力的方法，英國博贊的心智圖法即屬之；若從宏觀的觀點而言，只要是使用到與心智圖類似的視覺化組織圖，例如以概念圖、魚骨圖、九宮格等做為工具來呈現或記錄資訊，均可稱之為廣義的心智圖法。

「孫易新心智圖法®」

為了讓心智圖法的使用者（MindMapper）更有效率與效能的應用心智圖法，我彙整多年來在教學過程中所實踐的應用案例，以及投入學術研究時分析歸納出的相關理論，提出了更完整、更實用的**「孫易新心智圖法®」——運用關鍵字、線條、色彩、圖像等元素，以具有邏輯性的分類結構或因果關係，或非邏輯性的自由聯想，透過樹狀結構與網狀脈絡形式的組織圖，呈現吾人動態的心智程序與記錄知識的過程。**

在動態過程中，心智圖的內容會因實際的需要，不斷被調整、增加或刪減。其創新特色在於：

一、將心智圖法（Mind Mapping）與心智圖（Mind Map）做出明確的定義。心智圖法是方法，心智圖是工具；心智圖法主要的工具是心智圖，但也可採用概念圖、樹狀圖、魚骨圖、九宮格等類似的視覺化組織圖做為輔助工具。

二、對心智圖法放射性思考的內容特徵屬性清楚區分為「邏輯性」思考與「非邏輯性」思考兩大類；在組織圖的結構上，定義出「分類結構」或「因果關係」的樹狀結構，以及能夠指出「重複性」或「關聯性」概念的網狀脈絡。

三、界定選擇關鍵字詞性的優先順序是「名詞為主，動詞次之，輔以必要的修飾詞與連接詞」；決定關鍵字字數的原則是「一個語詞為主，只有章節標題名稱、不可切割概念、專有詞組等，才允許有多個語詞出現在同一線條上」。

四、更重要的是特別強調心智圖「法」是一種心智程序的動態歷程，而非靜態的那張圖。

從以上所介紹「孫易新心智圖法®」的創新特色，意味著心智圖法已經從傳統的「Mind Mapping」進化為創新的「Mind Mapping+」。倘若你想進一步了解心智圖法的理論背景，在《心智圖法理論與應用》這本書當中有相當多的篇幅作深入分析與說明。

心智圖法中文名稱的由來

由於心智圖法對我的讀書學習、參加國家考試、研究所入學考試，乃至於工作上都有非常大的幫助，因此我立志將這個方法推廣到華人世界。於是在1997年9月，毅然決然負笈英國博贊中心（Buzan Centres）接受博贊與諾斯共同指導，進行為期三週的博贊師資認證（Buzan Licensed Instructor）培訓，除了將整套教學方案引進華人世界之外，並成立「臺灣博贊中心」（Buzan Taiwan）從事課程推廣與教學工作。

身為全球第一位心智圖法華人講師，我肩負著推廣與本土化的重責大任，翻譯博贊先生的相關著作，以及撰寫本土化的教材、書籍是我初期的重點工作。早些年出版社將「Mind Mapping」翻譯成「心智繪圖」，但這個名稱造成很多人誤解這是一種畫圖的技巧，著重在把心智圖畫得漂亮，而忽略它真正價值是在思考的模式。

因此，2001年在撰寫出版自己的第一本書時，我特別與幾位臺灣師範大學的教授溝通討論，正式定調將「心智圖法」做為「Mind Mapping」中文譯名，其主要工具「Mind Map」（那張視覺化的組織圖）則稱為「心智圖」。

（＊大陸地區則是將「Mind Mapping」與「Mind Map」都翻譯成「思維導圖」，這不僅容易陷入只講求操作繪圖的侷限性，也無法區分「方法」與「工具」。）

第二節　繪製心智圖的規則與運用技巧

歸納多位學者對繪製心智圖與應用心智圖法的描述，再結合我多年的教學經驗，可簡化如下（圖1-3）：

繪製心智圖的規則

一、紙張

1. 顏色：以純白為主。不同顏色的色紙，會給人不同的感受，帶來不適當的暗示；有線條的紙張，容易令人不自覺的以條列方式做筆記。

2. 尺寸：以A4或A3為首選。除了方便收納之外，最主要的原因是避免在一張心智圖塞入太多內容，尤其是應用於學習時方便記憶的筆記，A4或A3的紙張做為書寫文具大小剛好。

3. 方向：以橫放為原則。繪製心智圖是從紙張中央向四周展開，將紙張橫放可以多容納幾階內容，讓線條需要轉彎機會減少。

二、彩色筆

1. 四色原子筆：方便攜帶，以四種顏色區分類別及表達感受。

2. 八色以上水性筆：有更多選擇表達對不同類別概念的感受性。

3. 十二色以上色鉛筆：在插圖與線條上增加美工效果，增進對內容的記憶。

4. 四色螢光筆：標示關鍵字，呈現出三維結構的概念。

三、線條

1. 樣式：模仿大自然的結構，以有機式的弧度曲線繪製，讓心智圖看起來美美的。

2. 連接：為了方便閱讀，線條必須彼此連接在一起，以提升心智圖的整體感。

3. 粗細：為了視覺容易辨別心智圖中包含的類別或主要因素，與中心主題圖像連接的主幹線條採用由粗而細、有弧度的錐形樣式，下一階之後的支幹線條則以細一點的錐形樣式或直接以細線呈現。

四、文字

1. **顏色**：手繪時與線條同顏色；電腦軟體繪製時，為避免螢幕上不容易閱讀彩色字，以黑灰色為原則。若要列印出來，為求美觀，可採用與線條同顏色，但要注意避免太淡或螢光色。
2. **大小**：越上位階字級越大並加粗，以方便在視覺凸顯上位階的重要概念、類別或議題；越下位階字級則採用較小的字體。

心智圖的運用技巧

一、關鍵詞

1. **詞性**：最主要的是名詞，動詞次之，輔以必要的修飾詞，例如形容詞、副詞，甚至連接詞、介系詞等。

   一張心智圖要豐富或精簡到什麼程度，判斷的基本原則是，刪除這些語詞會不會影響對內容的理解？不會就可以省略，若可能會對內容產生誤解就必須保留，甚至得再增加一些補充說明的語詞。
2. **數目**：由於心智圖法重要理論之一源自於語意學，因此每一線條上的關鍵詞，以一個語詞為原則，特別是在創意發想、工作計畫、問題分析等場合。只有整理文章筆記時，碰到書名、篇名、章節名稱、專有名詞、特定不可切割的概念等，才允許將二個以上語詞寫在同一線條上。對文章內容的重點筆記，仍盡量掌握一個語詞的原則，讓資料統整更具自由度與結構性。

二、放射性結構

1. **中心主題**：從思考主題、討論問題或筆記題目，做為向四周延展的核心。

2. **階層結構**：以擴張廣度的水平思考、延伸深度的垂直思考，展開心智圖的樹狀結構與網狀脈絡。

樹狀結構的形式可以是分類的結構，也可以是因果的關係；網狀脈絡則應用在表示不同的樹狀結構之間，有重複出現的資訊，或彼此是有關聯性的場合。

3. **特徵屬性**：不論是水平或垂直思考，都包括有邏輯聯想與自由聯想兩種模式。工作計畫、問題分析、事實描述等場合，偏向使用邏輯聯想；而創意發想或創意寫作等場合，則偏向自由的聯想。

三、顏色

1. 線條的顏色功能，除了在視覺上區分不同主題、類別之外，最主要是透過色彩表達自己對某一主題、類別的感受性，來激發創意或對內容的記憶。
2. 圖像盡可能使用三種以上顏色，或藉由與線條、文字不同的顏色，達到吸引目光的目的，增進記憶的效果。

四、圖像

1. **位置**：在特別重要的關鍵字旁邊或上面加上圖像，以凸顯重點所在。絕對不是隨便到處亂加插圖，否則反而容易失去焦點。
2. **象徵**：在重點處加上的圖像，必須要能代表或聯想到重點內容的意涵，如此一來，不僅有助於創意的激發，更能強化對內容的記憶效果。

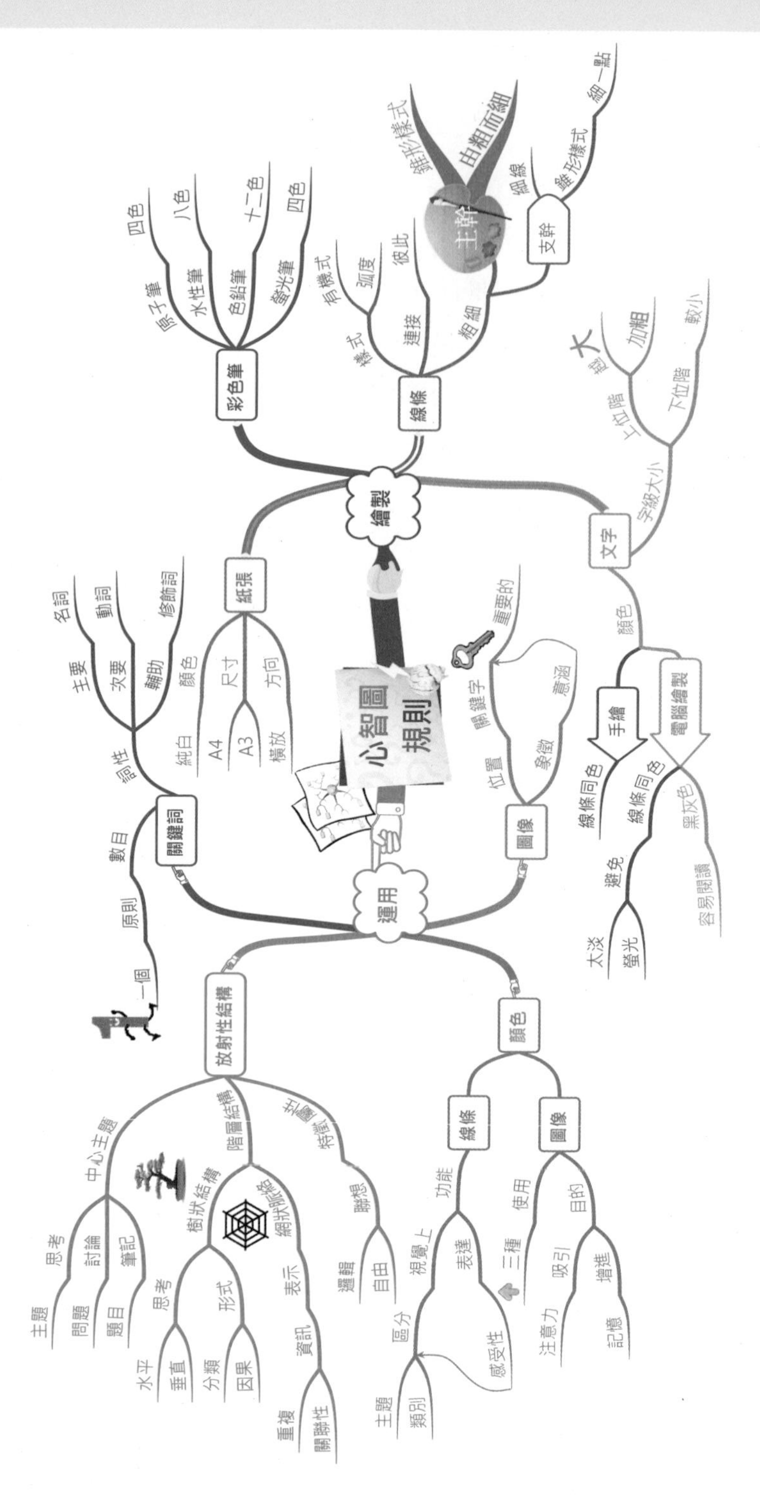

● 圖 1-3 心智圖的繪製與運用規則

- Part -

2

成功之路

心智圖思考法

第二章

活化思維的心智圖法

一個人罹患老年痴呆症的機率和看電視時間成正比，和閱讀書籍的時間成反比！

為什麼呢？

因為，看電視是一種偏向被動式的接收資訊，相反地，閱讀則是主動式的思考。電視中的情境畫面，是由製作單位幫你規劃設計；閱讀書籍時，則是經由讀者的想像力，在腦海中浮現屬於自己獨創的畫面。

簡單的說，腦袋要靈光，就是要經常動動頭腦！

在本章當中，我將帶領大家做幾個好玩的練習，除了鍛鍊你的大腦之外，也可以同時熟悉心智圖法的操作技巧。

第一節　有趣的邏輯分類

東西沒有經過分類，會一團亂；

講話內容沒有分類，聽不到重點。

所以，**分類能力是智慧的基礎，問題沒有分類，找不到合適的解決方案。**

你沒看到我正在忙
嗎？奇怪，上星期
剛買的口紅怎麼不
見了？
媽咪！我的玩
具熊收到哪裡
去了？
cookBaron
老闆，我…我…
我剛才不是都講
了嗎？
大雄，我實在聽不
懂你到底想講的重
點是什麼？
cookBaron

分類的做法，可以依照物品、項目本身特徵（或特性）的屬性，或是應用的目的（或問題）來做區分。兩種不同的分類方式，雖然在某些場合看起來很類似，但如果能夠區辨二者的差異，你就是分類高手了。

以下就以實際的例子來為大家做說明，並請各位讀者跟著書中指引進行演練，以加深學習效果。

依據特徵的分類

「鋼琴、蘋果、鉛筆、電視機、剪刀、電冰箱、直笛、香蕉、電風扇、西瓜、尺、小提琴」這12項東西，你可以分出有哪幾項具有什麼共同特徵嗎？

例如鋼琴、直笛、小提琴可以發出悅耳的聲音，鉛筆、剪刀、尺都是辦公桌上的東西，蘋果、香蕉、西瓜是可以吃的食物，電視機、電冰箱、電風扇都需要插電。根據這些特徵，我們可以將這12項東西分成四類，分別是樂器、文具、水果和電器（圖2-1）。有了分類之後，我們就可以比較清楚知道它們的功能與用途。

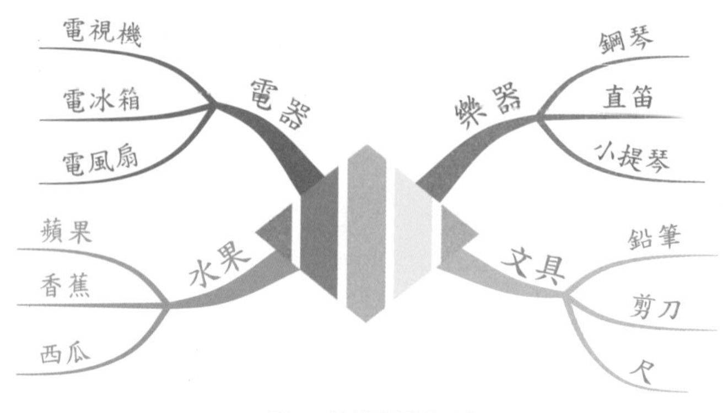

● 圖2-1 依據特徵的分類

牛刀小試

現在請你也把下列12項東西依照它們的特徵分成**交通工具**、**動物**、**植物**與**清潔用品**四類，並填入圖2-2每一個類別之後的線條上。

「輪船、牙刷、仙人掌、肥皂、玫瑰花、小狗、榕樹、梅花鹿、飛機、老虎、火車、洗衣粉」

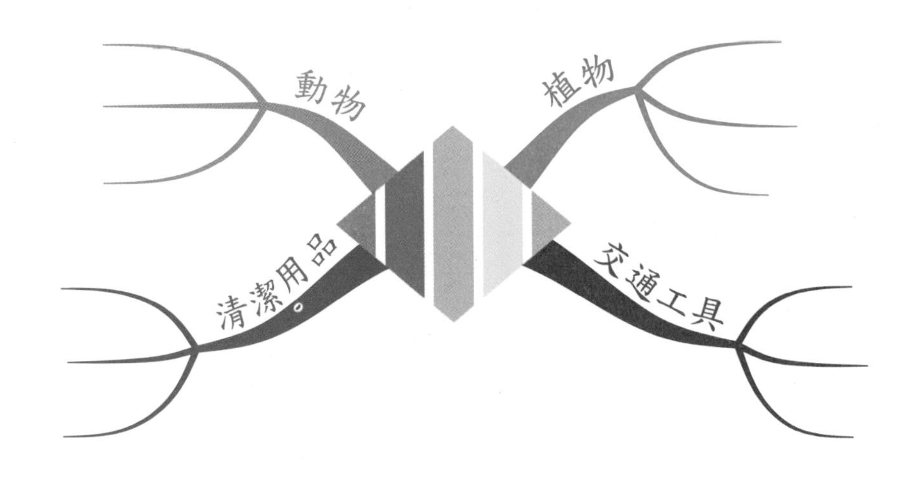

● 圖2-2 依據特徵的分類（1）～自己動動手

〔參考範例 在第215頁〕

牛刀小試

接下來請自行練習把以下12項東西依照它們的特徵分成四類，在圖2-3第一層四個由粗而細的線條上方寫出類別名稱，第二層則寫出屬於這一類的東西名稱。

「牛排、碗、果汁、竹蜻蜓、烤雞、可樂、筷子、積木、碟子、麵包、茶、洋娃娃」

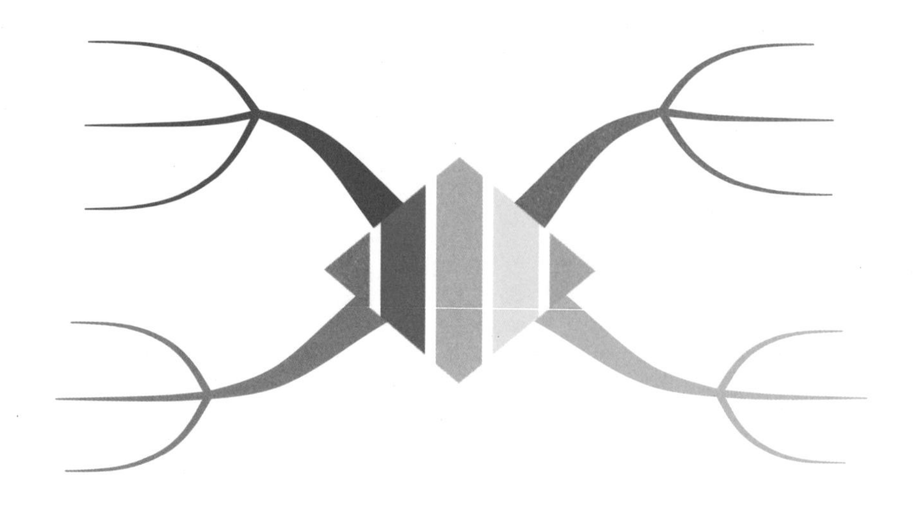

● 圖2-3 依據特徵的分類（2）～自己動動手

〔參考範例在第215頁〕

牛刀小試

再來一個有點挑戰的練習。

請在圖2-4當中，把以下12項東西依照它們的特徵先分成兩大類，並把大類的名稱寫在第一層由粗而細的線條上方；接著每一大類再分成三小類，在第二層寫出小類的名稱；然後在第三層把每一小類的兩項東西名稱寫下來。

「毛筆、影印紙、黑鯛、拆信刀、豬腳、圖畫紙、雞腿、地瓜葉、美工刀、小黃瓜、鋼筆、白鯧」

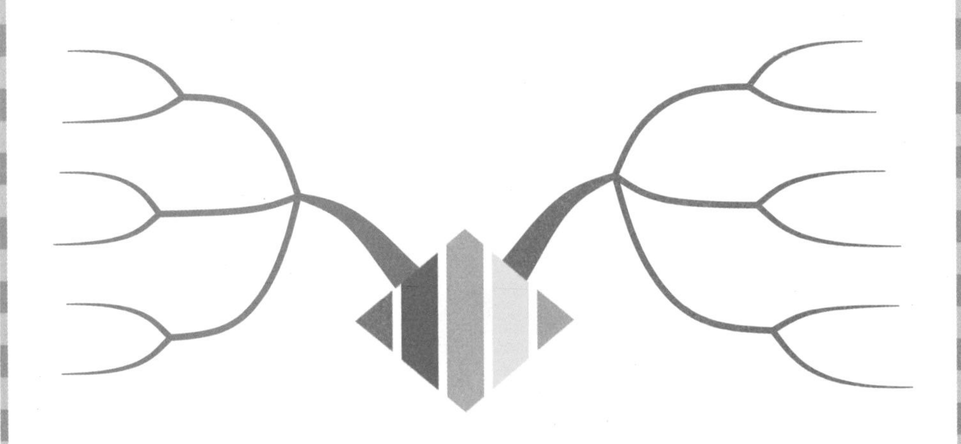

● 圖2-4 依據特徵的分類（3）～自己動動手

〔參考範例在第215頁〕

「分類」是心智圖法當中非常重要的概念與原則。**在進行分類的時候，特別要注意，同屬某一概念所展開同一階層的類別名稱，必須具有相同的邏輯屬性。**

例如「肉類」之下分成**豬肉**、**牛肉**、**雞肉**是正確的分法（圖2-5a）；若分成豬肉、牛肉、雞腿就不妥當了（圖2-5b），因為「雞腿」是比較細節或具體的，應該被放在「雞肉」的下一階層，「雞肉」之下有**雞腿**、**雞胸**、**雞翅**等（圖2-5c）。

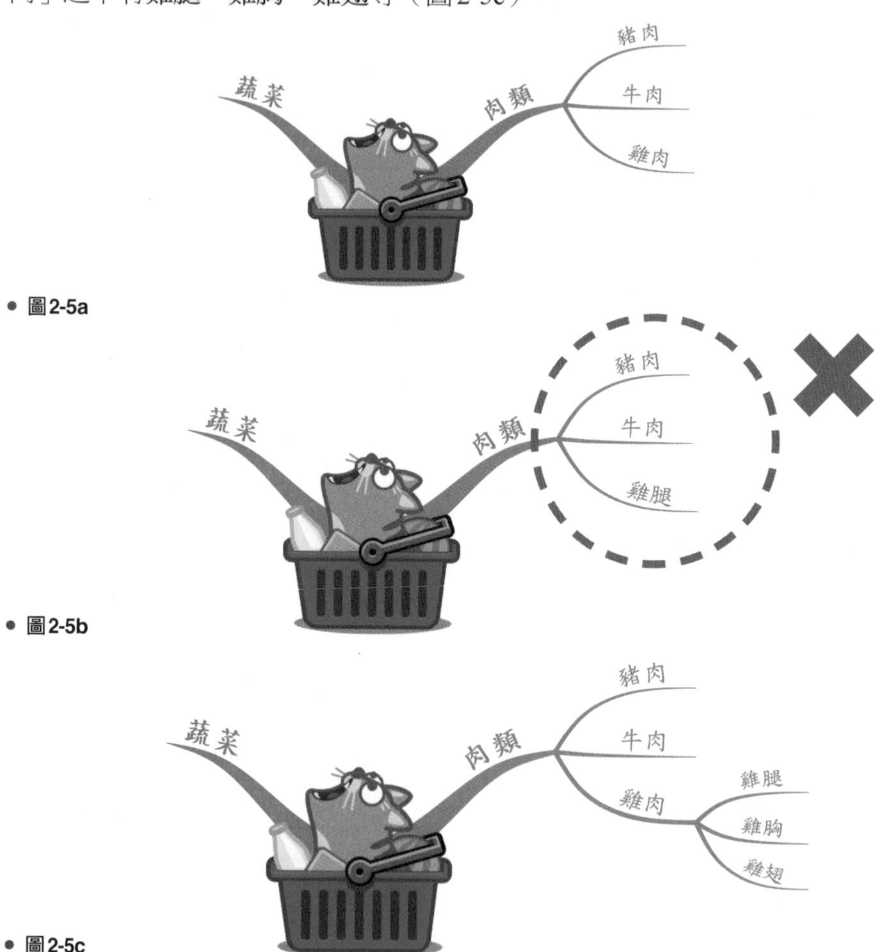

應用在分類場合的心智圖，越上位階代表越抽象、越重要的概念；越是下位階，則是越具體的概念或東西，同時相對上位階而言，其重要性就小多了。例如要準備烤肉食材，以圖2-5c為例，「肉類」、「蔬菜」代表重要類別概念，忘記其中一類，事情就嚴重了，但它也是個抽象概念，光說要準備「肉類」，負責採買的人還是搞不清楚要買什麼肉，必須往下位階繼續說明更具體的內容。「雞腿」就是很具體的東西，但重要性相對沒那麼高，市場買不到雞腿，大家可以接受改吃雞胸，但缺了蔬菜，不見得每個人都能改吃肉類。

以上幾個練習，每一個「東西」的名稱，就好比讀書時在課文中圈選出的重點，或工作時想要表達的關鍵概念。透過心智圖法的邏輯分類，可以提升我們對內容的理解，進而強化記憶的效果。

日常生活當中，請經常拿一些類似的例子來演練，例如圖2-6是以自己的「家」為題目所做的邏輯分類心智圖。經過一段時間的練習之後，相信你一定可以培養出「層次分明」的思考模式，這是傑出成功人士必備的基本能力喔！

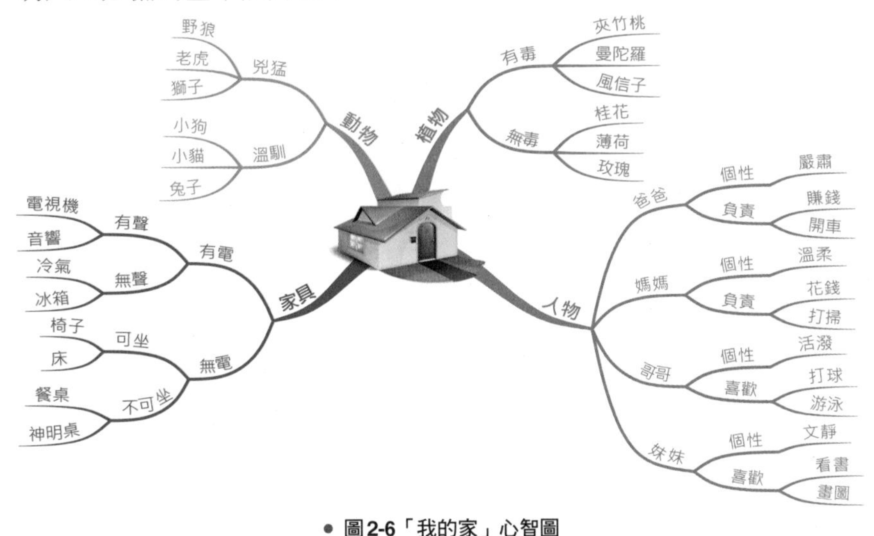

● **圖2-6「我的家」心智圖**

根據需求的分類

這是一種根據特定場合欲達成的「目的」、「活動事項」或須解決的「問題」等等，將事物做出分類的方式。

以迎新烤肉活動為例子，在「火種、白報紙、蛋糕、網子、木炭、夾子、彩色筆、打火機、刷子、蠟燭」這10個項目當中，我們會依迎新烤肉活動的工作任務或活動主題分成自我介紹、烤肉、慶生、生火等四類。

在圖2-7a中，你除了看到以樹狀結構展開的四大類之外，應該也注意到從「打火機」那裡有一條關連線，連接到「蠟燭」的地方，這是心智圖法網狀脈絡的應用，也就是烤肉生火會用到打火機，但慶生點蠟燭也會用到打火機，要完成這兩件任務，我們只需要一個打火機；而且我認為它對烤肉生火的重要性優於慶生點蠟燭，所以把打火機放在生火這個樹狀結構之下，以網狀脈絡的關連線，指出慶生的蠟燭那邊也會需要用到打火機。

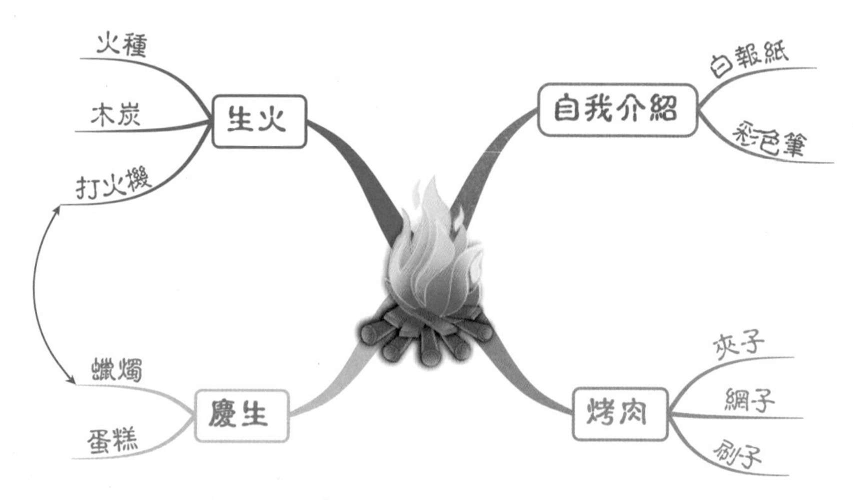

● 圖2-7a 題目：「迎新烤肉活動」根據需求分類的心智圖

牛刀小試

現在請你以「婚禮」為主題，根據婚禮的需求在圖2-7b中分成四個大類，並在每個大類之下填上兩種物品名稱。

你也可以拿出一張白紙，自己嘗試繪製心智圖，大類可以不拘泥四類，物品名稱也不受限於只有兩項，自己動手試試看囉！

● **圖2-7b 題目：「婚禮」根據需求分類的心智圖～自己動動手**

〔參考範例在第216頁〕

特徵vs.目的

究竟該採取哪一種分類方式比較好呢？

這沒有標準答案，完全要看情況而定。以大型超市或量販店物品陳列方式為例，你就可以很清楚了解二者的功能。

為了方便民眾購物，大型超市或量販店一般常設分類有「家電」、「衣服」、「書籍」、「飲料」、「肉品」、「海鮮」、「蔬菜」、「水果」、「調味料」等，是依照東西的物質特徵來分類；但你應該也有發現，它們為了滿足某些特定民眾的需求或在特殊節日會設一個專區，陳列物品包羅萬象，但主要是為了特殊目的或解決特定的問題。例如火鍋專區會有大白菜、茼蒿、肉片、蛋餃、金針菇；中元節快到了就會闢個專區放些金紙、金爐、蠟燭、餅乾、罐頭等。

第二節　想像力比知識更重要

沒搞錯吧！

兼具科學家、哲學家、政治家等多重身分的英國大文豪法蘭西斯・培根（Francis Bacon）有一句經典的拉丁格言「知識就是力量」（scientia potentia est），是誰那麼大膽，敢說這世界還有比知識更重要的東西？

別懷疑，這個人就是二十世紀偉大的科學家愛因斯坦（Albert Einstein），他認為想像力比知識更重要（Imagination is more important than knowledge），因為知識是有限的，而想像可以無限延伸。想像力創造了無限的可能性，推動文明的進步，是人類進化源泉。因此，為了活化思維、打造金頭腦，平常就要多做些想像力的練習。

為了幫助自己往後能夠真正地活用心智圖法，首先應了解並經常練習心智圖法的水平、垂直兩種思考模式，以及邏輯、自由兩種聯想技巧。

水平思考（Lateral Thinking）

水平思考法與垂直思考法都是由英國心理學家愛德華・狄波諾（Edward de Bono）所倡導，被大量應用於廣告創意的構思。

水平思考法是從多角度去觀察和思考一件事情，擺脫既有知識和經驗的束縛，打破常規，提出不同面向的見解、觀點和方案，可幫助我們產生意想不到的點子，同時提升創意思考的能力。

這種思考模式是基於大腦的擴散性思維（或稱發散性思維），又稱為擴散性思考。心智圖法推動者博贊先生認為這種放射性思考模式（Radiant Thinking）的結構很像盛開的花朵（圖2-8a，圖2-10a），所以將它命名為「Brain Bloom」；我覺得它更像太陽光向四面八方放射出去，因此在2001年出版《多元知識管理系統：心智圖基礎篇》這本書中，則是使用聯想「光芒」一詞。

垂直思考（Vertical Thinking）

垂直思考法是按照一定的思維路線或邏輯，往上或向下的垂直式路徑進行思考，特性是思維的延展具有邏輯性、推演性與嚴密性，又

稱為邏輯思考法或收斂性思維。通常這種思考模式所產生的構想較具系統性、正確性及普遍性。

博贊認為大腦這種單一路徑思考模式的結構很像水的流動（圖2-9a，圖2-11a），所以給它的名稱是「Brain Flow」；而我發現它與團康活動中的「聯想接龍」非常類似，在《多元知識管理系統：心智圖基礎篇》中使用聯想「接龍」一詞。

邏輯聯想（Logical Association）

Logical是「有邏輯的，合理的」，源自於希臘文logos，意思是有條理的陳述語句，代表「理性」的意涵。邏輯聯想即是一種有條理地利用推理、分析等方法思考的方式。

傳統上，唯有垂直思考法才是邏輯聯想，但在心智圖法當中，我給它更寬廣的定義，**不論是水平思考或垂直思考，都可以有邏輯聯想與自由聯想二種聯想模式。**

心智圖法的邏輯聯想，要具有特定的目的性，而且從中心主題提出延伸想法時，是以分類結構或因果關係層層展開。這種思考模式適用於工作計畫、問題分析等強調理性、縝密性、科學性的場合。

以下是以邏輯聯想進行水平思考與垂直思考的例子：

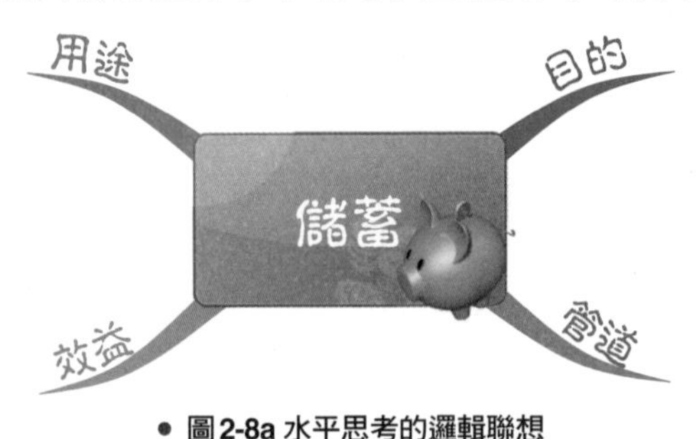

● 圖2-8a 水平思考的邏輯聯想

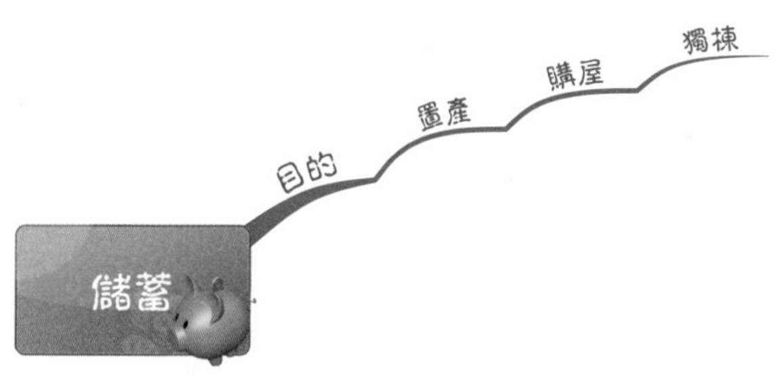

● 圖2-9a 垂直思考的邏輯聯想

圖2-8a是以「儲蓄」為主題，採用水平思考的結構，產生了目的、管道、效益與用途等四項邏輯聯想，它是在思考規劃「儲蓄」這件事。圖2-9a也是以「儲蓄」為主題，但改成垂直思考的結構，並以邏輯聯想的方式產生了目的這個概念，接著從「儲蓄的目的」想到置產，「置產」想要購屋，「購屋」想買獨棟的，這一連串的每一個想法都可以扣回到「儲蓄」這個主題。

自由聯想（Free Association）

自由聯想法是奧地利心理學家西格蒙德・佛洛伊德（Sigmund Freud）進行精神分析的主要方法之一。在自由聯想的過程中，腦子裡出現什麼就說什麼，不必受到先前的意識所牽連，自在地說出自我知覺到一切事情的聯想，無論多荒謬的想法都可以說出來，不因為認為不重要或沒有意義而放棄。

在心智圖法當中，不論是水平思考或垂直思考都可以進行自由聯想，每一個想法只要根據上一階的概念來聯想即可，不需要有特定的目的性，也不用環環相扣到一開始的中心主題，甚至不知從哪裡冒出來的想法都可以被接受。由於這種思考模式往往跳脫正常的軌道，因此適用於需要更多創意的場合。

牛刀小試

請你自己動動手，以「上課」為主題，練習水平思考與垂直思考的邏輯聯想。

● **圖2-8b** 水平思考的邏輯聯想～自己動動手

〔參考範例在第216頁〕

● **圖2-9b** 垂直思考的邏輯聯想～自己動動手

〔參考範例在第216頁〕

以下是以自由聯想進行水平思考與垂直思考的例子：

● 圖2-10a 水平思考的自由聯想

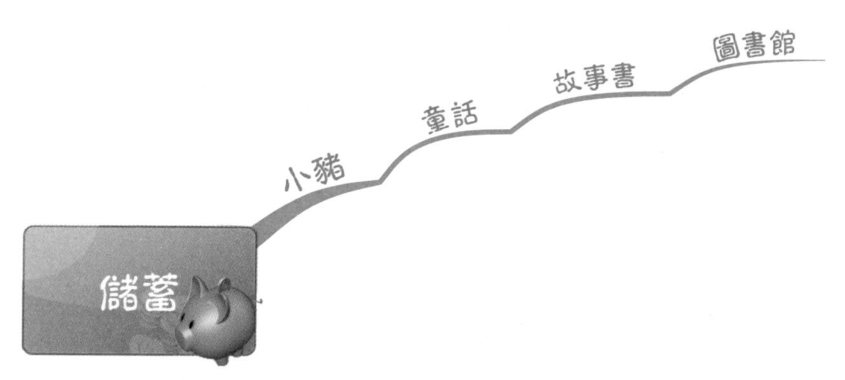

● 圖2-11a 垂直思考的自由聯想

圖2-10a同樣是以「儲蓄」為主題，採用水平思考的結構，產生了**小豬**、**致富**、**希望**與**節儉**等四項聯想，雖然都是從「儲蓄」所產生的聯想，但不是在規劃一項儲蓄任務，純粹自由地、無拘無束根據「儲蓄」這個主題所產生的想法。

圖2-11a也是以「儲蓄」為主題，但改成垂直思考的結構，並以自由聯想的方式產生了**小豬**這個概念，接著從「小豬」想到**童話**，「童話」就會想到**故事書**，而「故事書」哪裡可以借得到呢？就想到了**圖書館**。這一連串的每一個想法都只是從上一個想法所產生的聯想，與更往上幾階的想法幾乎沒什麼關聯性。

牛刀小試

請你自己動動手，以「手提箱」為主題，練習水平思考與垂直思考的自由聯想。

● 圖2-10b 水平思考的自由聯想～自己動動手

〔參考範例在第217頁〕

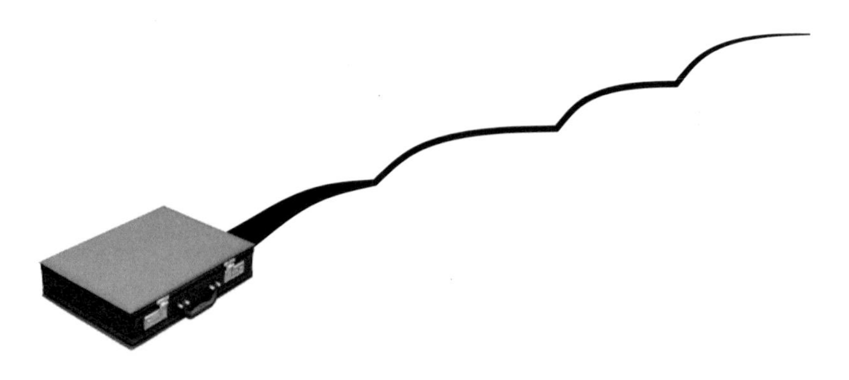

● 圖2-11b 垂直思考的自由聯想～自己動動手

〔參考範例在第217頁〕

當我們在處理訊息時，想像力在大腦吸收知識、管理知識、活用知識到創造知識的過程中扮演著關鍵性角色。水平思考可以提升創造力；垂直思考可以增進對議題推演的能力，並強化我們對內容的記憶力。**經常選擇不同的題目，發揮想像力，根據自己的人生經驗或從自己的角度，練習水平思考和垂直思考的邏輯與自由聯想，不僅是心智圖法的基本功夫，也是打造金頭腦必要的鍛鍊。**

第三節　六個簡單步驟活用心智圖法

許多初學者看到別人美美的心智圖，在羨慕讚嘆之餘，也很想依樣畫葫蘆，但卻不知道從何著手，加上繪圖美工技巧不好，往往最後只好放棄，實在可惜！

近年來，由於資訊科技的發達，陸續有許多繪製心智圖的軟體問世，其中不乏功能齊備的免費軟體，心智圖法也因此快速地被大眾所接受，並迅速擴散。不過有軟體可用固然可喜，但要發揮這些工具的功能，就得掌握繪製心智圖的方法，否則效果還是有限。

繪製心智圖

為了幫助初學者更快速地上手，請記住以下六個簡單步驟，即可順利完成一張心智圖。

1. 確認核心主題 Topic

2.掌握大綱架構 Outline

3.運用色彩意涵 Color

4.延伸內容細節 Content

5.思考彼此關聯 Relationship

6.加入重點插圖 Image

以下就以「自我介紹」心智圖為例子，說明這六個步驟與應用的技巧。

步驟一、確認核心主題（Topic）

繪製心智圖的第一個步驟，就是確認這張心智圖筆記的目的，接著根據目的，把題目以一個彩色圖像畫在紙的中央，這個圖像稱為中心主題（Central Image）。倘若只畫一個圖像，恐怕日後會誤解，則可採用圖文並茂的圖文框型式呈現。

而現在這張心智圖的目的是要介紹我自己，我認為最重要的資訊是我的「名字」，因此藉由一個彩色圖像，以意義的聯想方式說明表達我的英文名字「Mickey」。圖2-12a中那三個圓圈，在大家的認知裡，所代表意義就是迪士尼樂園的米老鼠，這就是圖像意義的聯想。另外一種表達方式稱為諧音的聯想，例如圖2-12b是「于翔」同學以「魚在天空飛翔」為圖像，表達自己的名字，這就是圖像諧音的聯想。

● 圖2-12a「自我介紹」心智圖：中心主題圖像意義的聯想

● 圖2-12b「自我介紹」心智圖：中心主題圖像諧音的聯想

步驟二、掌握大綱架構（Outline）

中心主題以三個圓圈的米老鼠圖像，做為我英文名字的意義聯想之後，接下來便是思考要向大家介紹哪幾大類的資訊，這就好比寫作文的擬定大綱架構。

在「自我介紹」這個例子當中，我想要告訴大家我的「教育」背景、「工作」內容、「興趣」事項與職業「證照」等四大類。於是我從中心主題的圖像延伸展開四個由粗而細的線條，在每一個線條上分別寫出**教育**、**工作**、**興趣**與**證照**（圖2-13）。

步驟三、運用色彩意涵（Color）

想好從主題要展開的大類名稱之後，別急著下筆，先在腦袋裡思考一下，每一個類別給人的感覺是什麼？用什麼顏色來代表比較合適？

如果是自己的讀書筆記、工作計畫或問題分析等，就用自己認知或偏好的顏色；如果這張心智圖是要給別人看的，就不能太個人化，用色必須參考心理學或色彩學上的定義。

「教育」我採用綠色，因為綠色帶有成長、希望、快樂、前進、創意、生產力等意涵，符合教育的本質。

「工作」我採用藍色，因為藍色表示冷靜、沉著、智慧、控制、管理、縱覽全局，這些都是工作不可或缺的要素。

「興趣」我採用紅色，因為紅色給人喜悅、熱情、健康、積極的感覺，而這些相信是每個人從事有興趣的活動時所追求的目標。

「證照」我採用橙色，因為橙色除了有朝氣、快樂、溫暖等象徵之外，還代表高能量、正面思考、爆發力、企圖心等意涵，都是在取得證照後可以帶給我們的效益。

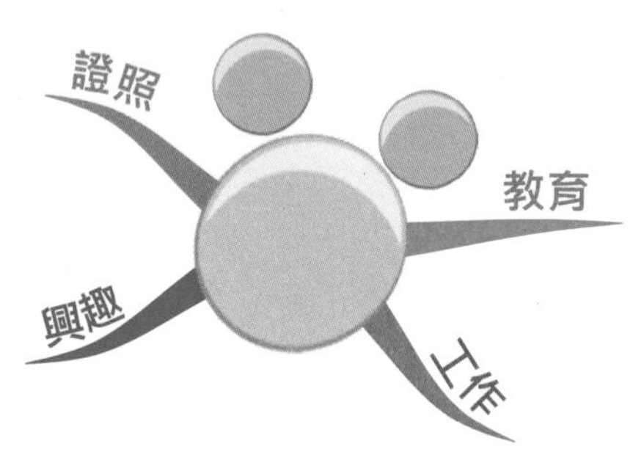

● 圖2-13「自我介紹」心智圖：展開大綱架構＆運用色彩意涵

步驟四、延伸內容細節（Content）

接著分別從每一個大類思考，打算展開哪幾個中類，再從每一個中類延伸出小類、小小類……，到最後一階就是具體的內容。

例如從「教育」這個大類中，接著說明**專科**、**大學**、**研究所**等幾個中類，「專科」與「大學」的下位階就是說明就讀哪個學校、哪個科系。「研究所」我再分成**美國**與**臺灣**這兩個小類，目的是強調分別在不同地區就讀研究所。「美國」與「臺灣」的下位階一樣是說明就讀哪個學校、哪個科系。

「工作」、「興趣」與「證照」這三大類也是先分別展開中類、小類、小小類……到具體的內容。

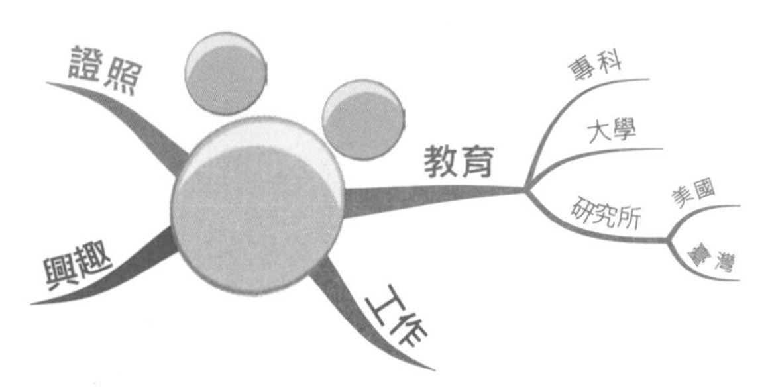

● 圖2-14a「自我介紹」心智圖：延伸內容細節～中小類

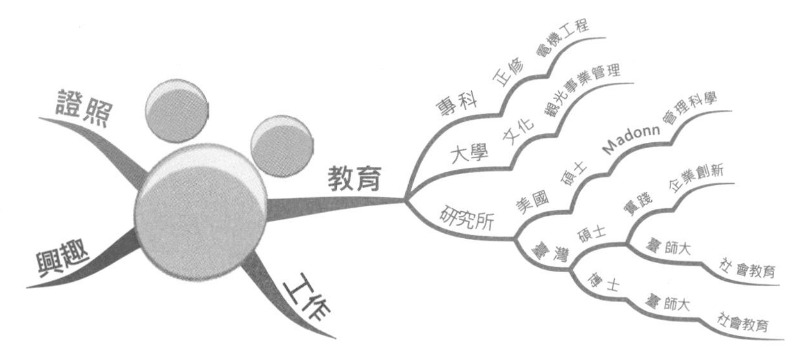

● 圖2-14b「自我介紹」心智圖：延伸內容細節～中小類與內容細節

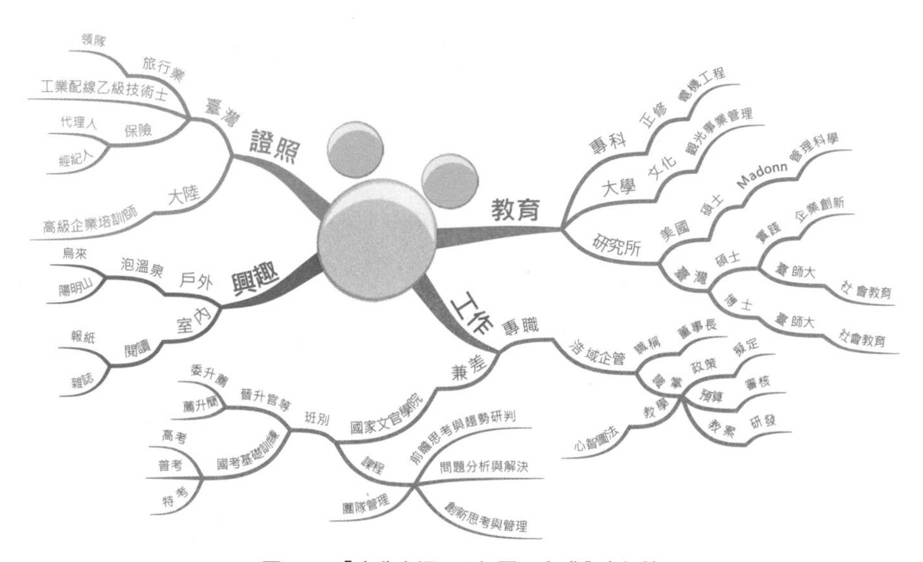

● 圖2-14c「自我介紹」心智圖：完成內容細節

步驟五、思考彼此關聯（Relationship）

透過心智圖樹狀結構的展開，我們以具有邏輯的分類方式，說明了我的「教育」、「工作」、「興趣」與「證照」這四大類的詳細內容。接下來就要思考不同類別之間是否有關聯性，這就是心智圖法當中網狀脈絡的應用。

例如我專科念的是「電機工程」，考取「工業配線乙級技術士」證照；大學念的是「觀光系」，考取「領隊」證照；臺師大研究所念的是「社會教育」，順利通過「高級企業培訓師」證照考試；實踐大學研究所念的是「企業創新」，所以在國家文官學院講授「創新思考與管理」這門課。

以上說明的關連線功能，是針對不同資訊之間有因果關係，因而以箭頭線條指出之間的關係。

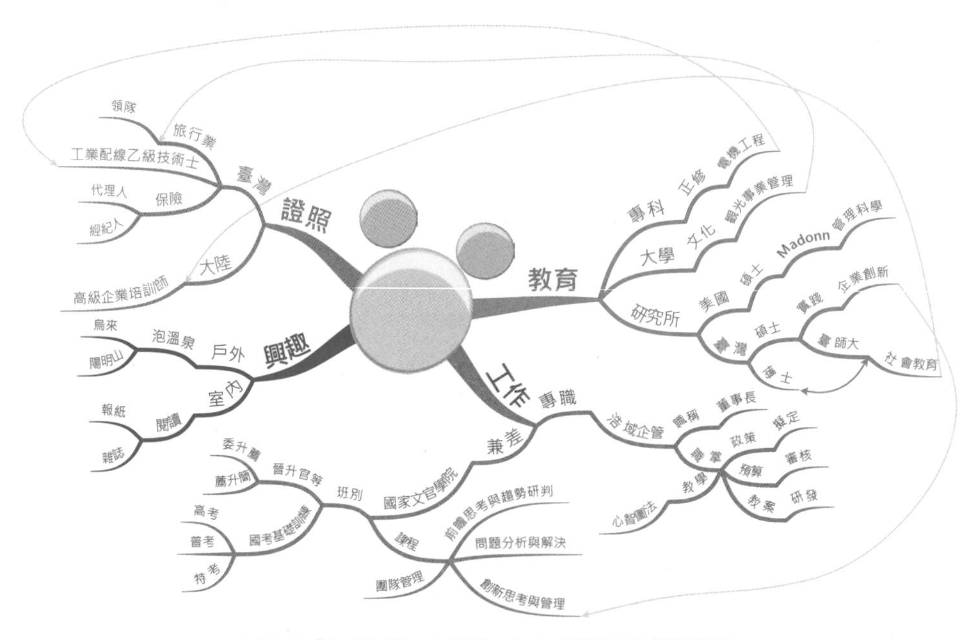

● 圖2-15「自我介紹」心智圖：加上網狀脈絡的關連線條

另外，關連線還有一個功能是指出重複的內容，例如我的教育背景之下，「博士」之後沒有用文字說明就讀哪個學校、哪個科系，而是以雙箭頭的關連線條連結到「碩士」的「臺師大」「社會教育」，這表示博士班是就讀臺灣師範大學社會教育學系。

網狀脈絡的關連線條有單箭頭、雙箭頭，有實線、虛線。一般而言，單箭頭是單向關係，雙箭頭是相互關係；實線表示強關係或直接關係，虛線表示弱關係或間接關係。當然，內容比較複雜的場合，可以自行定義不同樣式的線條，它所代表的意義、甚至關連線條的顏色，也可定義其不同的屬性。

步驟六、加入重點插圖（Image）

心智圖筆記與其他圖解思考工具，視覺上最大的差異在於加入了許多簡筆畫的插圖。圖要簡單並與想凸顯的內容重點有關連，才能令人留下深刻的印象。當心智圖的文字內容大致完成之後，接下來就是要在重點的地方加上插圖。

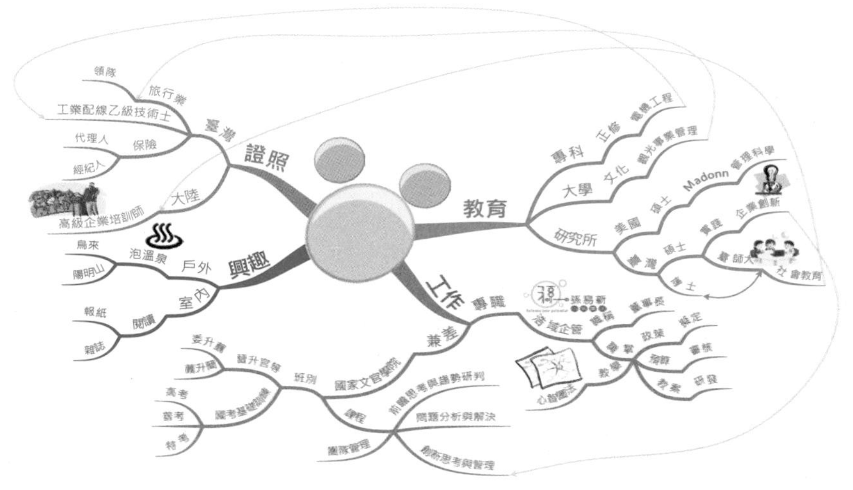

● 圖2-16「自我介紹」心智圖：重點地方加上插圖

例如圖2-16中，「教育」這一類的重點在於**企業創新與社會教育**，「工作」的重點是專職服務的**浩域企管與心智圖法教學**，最主要的「興趣」是**泡溫泉**，與目前工作有關的「證照」是**高級企業培訓師**。因此，我在這幾個地方加上了能與內容產生關聯性的插圖。

牛刀小試

根據以上六個步驟，便可輕鬆完成一張屬於自己的心智圖，請大家也嘗試跟著模仿，題目一樣是「自我介紹」，類別可以從「學校」、「工作」、「興趣」、「家人」與「夢想」當中挑幾項做練習。圖2-17a是一位小學五年級同學以手繪方式完成的「自我介紹」心智圖，提供給大家做參考。

閱讀心智圖

不論是閱讀或報告心智圖的內容，還是得掌握正確的方法步驟，才能提升其成效。為了增進對心智圖內容的理解與記憶，以下六個步驟可以幫助我們達到見林也見樹，掌握宏觀、兼顧細節的思維模式。

1.說明主題意象

2.宏觀整體架構

3.掌握分類層次

4.閱讀內容細節

5.強調重點插圖

6.重複重點內容

接著，我們以圖2-17a這張兒童班學員的手繪「自我介紹」心智圖，來為大家說明如何閱讀或報告一張心智圖的內容。

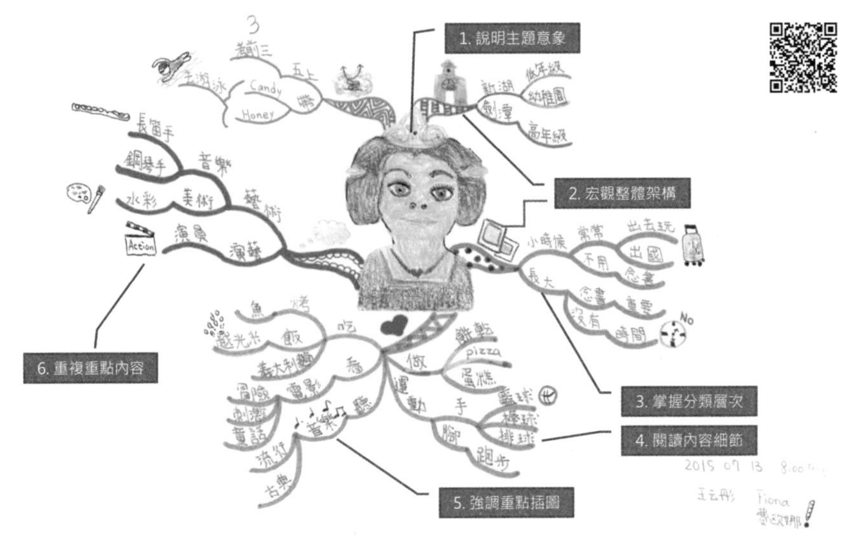

● 圖2-17a 手繪「自我介紹」心智圖～ Fiona

步驟一、說明主題意象

閱讀或報告心智圖，是從代表主題的中心主題圖像開始。這位同學的英文名字是「Fiona」，所以她以迪士尼卡通人物Fiona的造型做為自己名字的意象，這樣可以大幅提升我們對她名字的印象。

步驟二、宏觀整體架構

心智圖法強調見林也見樹的模式，見林重於見樹，一張分類結構的心智圖中，越上位階的概念雖然較抽象，但重要性相對較高。

因此，從閱讀所有主幹上的資訊開始，來了解她想要向我們介紹哪幾大類的資訊。Fiona同學在第一階的主幹上，將想要介紹的大類內容全部以圖像方式呈現，目的是在自我介紹的時候，不直接說明，而是讓同學看著插圖猜她想要以哪幾個大類別介紹自己，這樣的做法可以增加互動並強化記憶。

由於圖像很個人化，雖然有它的優點——有趣、強化印象，但也有些限制——如果繪圖者沒在一旁解說，恐怕閱讀者無法精準掌握意涵。例如，左上主幹上畫一個大腦的圖像，你會如何解讀？Fiona同學告訴我，那代表要說明「學習心智圖法課程」的相關事情。

其他幾個代表大類的圖像，就比較容易看出代表什麼意思，或者從下位階的內容也可以猜對七、八成。從右上角順時鐘方向，分別是學校、轉變、興趣、夢想等。

步驟三、掌握分類層次

接著依據順序從大類當中檢視一下，其下一階是否也屬於類別的概念。如果是的話，得先閱讀所有的中類、小類。

例如，學校有新湖和劍潭，轉變有小時候與長大，興趣有吃、看、聽、運動、做，夢想有藝術、演藝等。

步驟四、閱讀內容細節

閱讀完某個大類的全部中類、某個中類的全部小類之後，接著繼續看小類之後的內容細節。例如運動之後的用「手」打籃球、棒球、排球等。

步驟五、強調重點插圖

在閱讀心智圖時，看到有插圖的地方，代表是重點資訊，要特別注意。甚至可以發揮想像力，腦海浮現實際生活中的情境畫面。例如，Fiona同學的諸多興趣中，最主要是吃越光米、聽音樂和打籃球。看到這裡請發揮想像力，讓腦海中浮現Fiona在吃「越光米」、聽「音樂」和打「籃球」的畫面。

步驟六、重複重點內容

當閱讀或報告完某一大類資訊之後，針對其中的重點資訊（加插圖的地方）要再次重複一次。例如「夢想」這個類別的內容是藝術與演藝，藝術方面有音樂與美術，在音樂領域想當個長笛手與鋼琴手，美術部分希望可以把水彩畫得很好；演藝方面則想要成為一位演員。文字內容都報告完畢之後，接著再次說明「我最主要的夢想是當個長笛手，把水彩練好，以及成為演員」。

一張心智圖當中，在內容呈現上有三種形式：1.全部文字；2.全部圖像；3.以文字為主、圖像為輔。

視覺化的圖像是心智圖法四大核心關鍵之一，如果在一個簡報場合，這張心智圖的功能是想要跟大家有更多的互動，並記住內容，全部圖像的心智圖是一種很好的選擇。

例如圖2-17b這張「自我介紹」心智圖，是2011年參加心智圖法師資培訓的台北市東門國小翁意茹老師以全圖的方式介紹自己。中心主題「鳳梨、李子、柚子」三種水果的圖像，是以諧音的方式介紹綽號。由於她的名字「翁意茹」唸快很像英文「only you」，所以就變成她的綽號，學校同事和學生都這麼稱呼她。而「only you」轉換成圖像的諧音聯想很像「鳳」梨、「李」子、「柚」子，所以她就畫了這三種水果做為中心主題。

接著，請先不要看我在下方的說明，而是從心智圖當中的圖像猜猜看，翁老師還介紹她的哪些資訊給我們。

● 圖2-17b 手繪全圖式「自我介紹」心智圖～翁意茹（only you）

我來為大家解說一下。

右上的「學士帽」代表教育背景，右下的「包包」代表工作，左下方「哭泣的心」代表討厭的事情，左上的「笑臉」代表喜歡的活動。教育背景這個類別，大學是就讀「物理」系，碩士是「數學教學」研究所；工作就是「老師」；討厭「螞蟻」和「抽菸」；喜歡「騎腳踏車」、「玩拼圖」和「露營」。

你猜對了多少呢？

歡樂中學習，歡笑中成長

台北市劍潭國小六年級 王云彤

（孫易新心智圖法®兒童班結業）

我會學到心智圖法，是因為媽媽從懷孕開始就擔心我以後讀書會很辛苦，還要面臨考試壓力，會有一個不快樂的童年，於是在我還只有二歲時，她就跟著孫易新老師學心智圖法，希望可以幫助未來的我有快樂的學習經驗。

媽媽一邊學，一邊用多元智能的概念幫我選玩具、陪我玩各種有趣的遊戲，來靈活我的大腦。到了上幼稚園時，我就陪著媽媽一起上課，媽媽不會要求我一定要畫一張心智圖，只是我喜歡畫，就跟著畫圖。直到小學三年級才正式上兒童班，嘗試運用心智圖法整理我的社會與自然科筆記。

剛開始媽媽一步一步的教我，不過因為中年級功課不難，所以我也不一定用心智圖來念書，只有想畫圖時我才畫。到五年級時，我已經可以自己完成一張心智圖，然後給媽媽修改。那時我的分類概念還不是很清楚，媽媽會跟我說明為什麼要這樣分類，原來那就是邏輯的概念。現在我已經六年級了，功課比較重，媽媽讓我用電腦軟體作心智圖筆記，現在我作的心智圖已經可以完全不用媽媽修改，每次考試前把所有單元作成心智圖就有基本的90分了，只要再把那些重點背起來，想考100分根本就不算什麼！

我學會心智圖法後，無論做任何準備都方便很多，每次出去玩我會作一張攜帶物品清單，就不用為了帶東西而忙碌。而用心智圖法念書，需要背的只有重點，還可以畫畫，讓我念書時更有興趣！

第三章

創新思考

「創新」在韋伯字典中的意思是「改變」（to make change）。當今世界唯一不變的事情就是一切都在變！

當改變成為常態，整個社會已邁入快速變遷的時代，管理大師彼得・杜拉克（Peter F. Drucker）就提醒我們說：「個人或組織都必須具備的一項核心能力就是創造力。」

改變，可分為在現有基礎上做局部改善、改進的漸進式創新，以及從無到有的跳躍式、革命式、破壞式的創新。在創新經濟為主軸的時代脈動中，培養創造力不僅是教育的核心，更是普羅大眾都應該重視的課題。

為大家說明如何運用心智圖法提升創新思考能力之前，我們先釐清「創造力」、「創意」、「創新」三者的意涵與關係：

「創造力」是一種激發創意思考的能力；
「創意」是一種新而有用的想法；
「創新」是將創意透過企劃力與執行力付諸實現；
創意思考是創新的前提，創造力是創意的來源。

由於心智圖法最能發揮功能、效益的地方，除了文章筆記與記憶之外，就是能激發提升我們的創造力。因此，在《心智圖法理論與應用》一書中，我曾經以一個章節介紹創造力相關理論，以及與心智圖法之間的關聯性。

在本章當中，我將與大家分享養成創意思考的生活習慣，並且透過幾個好玩有趣的小遊戲，體驗一下自己的創造力。當然，最重要還是學會如何應用心智圖法提升自己的創造力。

OK，就讓我們一起展開創造思考的旅程吧！

第一節　創意思考的生活習慣

什麼是創意？

天馬行空的想法算是創意嗎？

回答問題之前，我們先回想一下生活當中的情境。

晚餐吃什麼？大夥七嘴八舌提出一大堆建議，有些滿合適的，有些簡直是鬼扯，最後在一大堆提案當中，我們再依據實際的情況或需求作出決定。

得過兩屆諾貝爾獎的鮑林（Linus Pauling）曾經說，**解決問題的時候，要找到一個好的解決方案，首先就得先產生許許多多的方案，然後再把不合適的刪掉，這也就是腦力激盪的重要法則。**

在腦力激盪的過程中，分成擴散思考與聚斂思考兩個階段，在擴散階段講求想法的數量要多，到收斂階段才從很多的想法中，依據我們的目的及想法的價值性去做選擇。

由此可見，在我們生活中的創意，雖然最後的要求是「新的」、「有用的」才行，但在擴散思考階段允許一些荒誕不經的想法出現，而有時候這些想法很可能會成為偉大發明的契機也說不定。

十五世紀文藝復興時期的達文西因著迷於鳥類的飛行，在他的手稿中被發現有飛行器設計圖，當時的人一定覺得不可思議；十六世紀明朝的吳承恩在《西遊記》中，生龍活虎地描述孫悟空駕著筋斗雲瞬間飛越十萬八千里。這些看似荒誕不經的構想，到了二十世紀初，萊特兄弟駕著飛機翱翔天際，實現了達文西的夢想。

西元前139年西漢文獻《淮南子》中有嫦娥奔月的神話故事，而在1969年人類還真的登上月球漫步，甚至今天美國太空總署已著手研究移民火星的可能性。這些例子都告訴我們，人類的大腦裡都有一個創意精靈，端看你是否能發揮想像力，讓創意的精靈盡情飛舞，所以愛因斯坦也特別強調：「想像力比知識更重要。」

創造力情意傾向小測驗

以下幾個小問題，請你先做個自我檢測，看看創意精靈有沒有在你的心中！

1.【Yes / No】碰到不懂的事情會一直問：「為什麼？」
2.【Yes / No】經常做白日夢，例如幻想自己中樂透頭獎的樣子。
3.【Yes / No】工作或讀書時，會設定比目前再高一點的目標，並且想辦法達成。
4.【Yes / No】明明知道成功機率不高，但是為了理想，還是會努力往前衝。
5.【Yes / No】對新產品充滿興趣。
6.【Yes / No】閱讀書本文字時，腦海中會浮現內容的畫面。
7.【Yes / No】家中電器或家具壞掉時，會想辦法自己修理。

8.【Yes / No】對於不確定的事情，甚至可能會面臨危險，也想嘗試看看。

第1、5題代表好奇心；第2、6題代表想像力；第3、7題代表挑戰的心；第4、8題代表冒險的心。每一項目兩題都回答「Yes」表示「優」；只有一題回答「Yes」表示「普通」；兩題都回答「No」表示「差」。

以上測驗只是讓大家體驗感受一下自己的創意精靈，如果你有興趣了解自己的創造力情意傾向究竟達到什麼境界，可以透過專業的「威廉斯創造力測驗」自我評量喔！

創意生活標竿

人類歷史上不乏創意天才，其中以文藝復興時期的李奧納多・達文西（Leonardo da Vinci）最為人津津樂道。根據國際知名潛能開發大師邁可・葛柏（Michael Gelb）的研究發現，**達文西之所以被譽為「天才中的天才」，是因為終其一生都保有七大生活習慣——好奇心、實證精神、五官感受、包容、全腦思考、優雅儀態、關聯。**他並將研究成果發表在《7 Brains：怎樣擁有達文西的7種天才》（*How to Think Live Leonardo da Vinci*）一書。

我曾經在2002年將該書的內容重點整理成一張心智圖，刊載在《多元知識管理：心智圖法進階篇》，獲得許多讀者的喜愛。可惜那本書目前已經絕版，我特地借用本書一小篇幅再次與大家分享（圖3-1）。所有習慣都是日積月累養成的，只要用對方法與工具，新的好習慣是可以慢慢建立的。接下來透過模仿達文西的七個生活習慣，讓我們一起來滋養創意的人生吧！

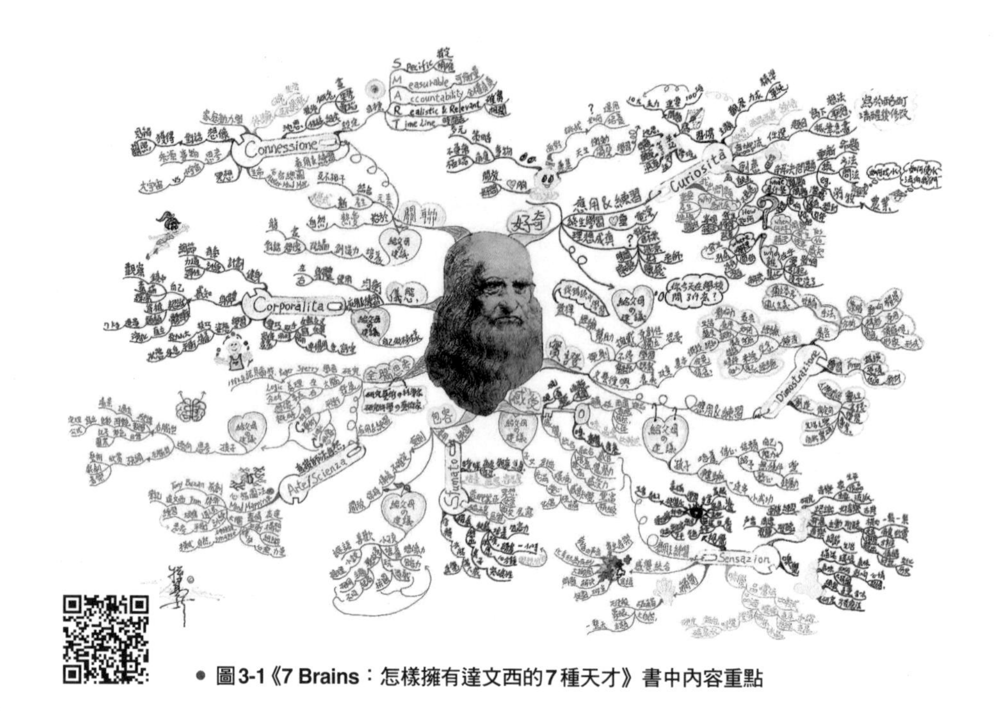

● 圖3-1《7 Brains：怎樣擁有達文西的7種天才》書中內容重點

模仿達文西的七種生活習慣

一、好奇心

達文西從小就對這個世界充滿強烈的好奇心，鎮日埋首觀察鳥類飛行、動物行為、植物生長週期、水的流動。在他一生當中，總是不斷地問「為什麼？」，對新知的追求永遠不滿足。

▌生活中的小練習▐

1. 每天自問幾個看似理所當然的蠢問題，例如「魚在水中為什麼不會淹死？」這類問題。
2. 找一個安靜的地方，在沒有時間壓力下，準備白紙、彩色筆，在紙的中央圖文並茂地寫下一個你覺得很重要的事情、問題或疑惑。

例如「孩子為什麼要上學？」，然後放鬆心情，在腦海中思考過後，把想法以心智圖筆記的方式，從中心主題的圖像延展開來。此時的心智圖可以是邏輯聯想，也可以是自由聯想，或混和兩者皆可，重點是讓思緒很流暢地表達出來。

二、實證精神

「不正確、不完整的知識，比沒有知識更可怕！」

所以，我們要有追根究柢的習慣，透過實際的體驗或查證，驗證知識的真假。達文西對每一件引發他好奇的事情，都會實際地去觀察並記錄結果，因此他自稱是「經驗的門徒」。在他的筆記中，曾經詳細描述鳥類飛行的動作，這件事情直到二十世紀有了高速攝影機之後，才證明五百年前達文西的觀察記錄完全正確。

古有名言：「行千里路勝讀萬卷書。」這句話告訴我們，必須透過實際行動驗證所學的知識、探索未知的世界。因此，**生活中的實證精神就是得深入探索問題背後真正原因，重新思考理所當然或荒謬愚蠢的事情，遇到不懂的就要打破砂鍋問到底**，不論是上網查詢或請教專家。

生活中的小練習

1. 對你曾經自問看似理所當然的蠢問題，進一步思考、查證、找答案。例如思考「魚在水中為什麼不會淹死？」，可以從魚的呼吸器官？為何魚在水中才能順利吸收氧氣，排出二氧化碳？有沒有哪些魚可經由輔助器官呼吸？……切入查詢。
2. 上網找資料時，養成最少從三個不同的來源，求證知識的一致性與可靠度。

3. 行千里路，也讀萬卷書。旅遊前先閱讀相關資訊，在旅遊時驗證書中內容；旅遊時觀察到的新事物，當場或事後馬上查詢相關資料，進一步驗證所見所聞。

三、五官感受

感覺是認識世界的開始，我們透過視覺、聽覺、觸覺、味覺與嗅覺來接收外界資訊。

達文西認為實證精神的秘訣是經由感官顯露，尤其是視覺。「懂得如何觀看」是達文西的座右銘之一，也是他成為藝術家與科學家的重要生活習慣。

因此，**培養敏銳的五官感受，讓我們不僅可以洞察先機，也讓生活更加多采多姿。**

生活中的小練習

【視覺】

1. 以不同角度觀察事物。例如以小孩子的高度觀察熟悉的環境、抬頭看你平常以平視角度走過的街道，看看是否有些新發現。
2. 閉上眼睛，在腦海中浮現某一個主題畫面，並融入聽覺、觸覺、味覺與嗅覺。例如浮現「婚禮」的場景，不僅看到婚宴會場、新郎新娘……，也聽到音樂與祝賀聲、拿酒杯的觸感、大啖美食的口感與聞到香水味道。

【聽覺】

1. 閉上眼睛，仔細聆聽周遭有哪些不同的聲音？試著聽出這些聲音的遠近層次。
2. 聽音樂時，試著感受旋律中所要表達的情緒。

【觸覺】

1. 閉上眼睛，請家人或朋友拿一樣東西給你，讓你用手觸摸探索這件物品，盡可能去感受它的形狀、重量、溫度、材質等。
2. 觸摸樹幹、樹葉、花草、泥土，感受大自然的原始觸感。

【味覺】

1. 品嘗三種類似的食物或飲料，並描述它們的差別。例如輕度、中度與重度烘焙的茶葉；臺灣啤酒、青島啤酒與海尼根啤酒。記得每換一種品嘗之前，要先漱口或喝口白開水，以免混淆味覺。
2. 吃東西時細嚼慢嚥，仔細品嘗食物在口中不同層次的美味。

【嗅覺】

1. 盡可能生動活潑地描述你在當下所聞到的味道。
2. 拿出你的皮包、衣服、書籍等，聞聞它們的味道，並記錄下你的感覺。過一陣子之後，再拿出相同的東西，做同樣練習，看看感覺是否有差異。

【五官統合練習】

1. 聽一首音樂，試著畫出形狀、顏色，描述它的味道等。
2. 看著身邊某個人，試著說出他像是哪一類型的音樂，或者哪一個季節。

四、包容

生活中一些不確定的因素，往往會帶給我們焦慮的感覺。如果能學習去接受這些事情的不確定性，就可以用更坦然的態度去面對與接受，才能避免憂鬱症的發生。對達文西而言，**包容就是願意接受曖昧不明，擁抱弔詭與不確定性，這也是生活在忙碌世界的上班族必須面對的修練。**

生活中的小練習

1. 試著做一趟沒有事先規劃安排的隨性之旅，看看在旅途中有哪些意外的驚喜與樂趣，並坦然接受諸多的不便與困擾。
2. 聽到跟自己意見不同的聲音，不要急著反駁或拒絕聽下去。不妨把話聽完，再思考他們為什麼這麼說？以什麼為根據？

五、全腦思考

以前常聽說有所謂的「半邊聰明人」、「左腦人」、「右腦人」。其實我們從一出生就同時擁有左右腦，只是因為環境或教育的關係，慢慢的有人就比較擅長某一方面的才能。

至於左右腦各有哪些心智能力呢？1981年獲頒諾貝爾生理醫學獎的美國神經心理學家史佩利（Roger Wolcott Sperry）在他的研究中發現，左腦擅長處理文字、數字、邏輯、行列、順序與表單，右腦則擅長韻律、空間、想像力、影像、色彩與完形（Gestalt）等。後續一些科學研究也發現，我們**人類在處理某一件事情時，不會只用左腦或右腦，而是左右腦一起工作。**

對達文西而言，藝術與科學是不可切割的，他強調藝術家表達人體力與美的能力，來自於對解剖學的研究。由此可見，達文西不僅是研究藝術的科學家，也是研究科學的藝術家，是一位典型的全腦思考天才。

平日經常面對緊張工作或讀書壓力的人，也可以藉由藝術抒解緊繃的情緒，活化大腦、提升創造力。

生活中的小練習

1. 用全腦思考的心智圖做為讀書筆記，或構思工作計畫、分析問題等。

六、優雅儀態

現代人由於課業壓力大或工作忙碌，明知運動的重要性，但永遠是紙上談兵。加上飲食不正常，日積月累下來，不僅身材走樣、健康亮起紅燈，還得拖著疲憊的身心面對讀不完的書、做不完的工作，時而思考遲鈍、時而注意力無法集中。

達文西的肢體天賦，和他的藝術天才相得益彰，是一位熱愛運動的藝術家，除了力大無窮，馬術更是高超。而且，他均衡使用左右手，不論寫字或繪畫都是左右開弓，加上養成良好的飲食習慣，謹防憤怒、避免悲傷，保持愉快的心情，在身心靈各方面都取得平衡發展。同樣地，我們也**可以透過儀態訓練，改善我們的生活品質**，跟著達文西教練學習健康、活力、有氧的人生！

生活中的小練習

1. 擬定一套運動與飲食計畫，並確實執行。
2. 試著兩手輪流使用，提東西、拿筷子、開門鎖、操作滑鼠等。

七、關聯

達文西堪稱是天才中的天才，擁有源源不絕的創造力，其秘訣之一就是終其一生都在**嘗試結合不相干的元素形成新的模式**。

生活中許多的發明也有不少類似案例。例如大家所熟悉的魔鬼氈，原本只是有芒刺的果實黏附在衣服上，而這個發現觸動了發明者的靈感，經過不斷地研究改進，終於完成今日在我們生活中隨處可見的好幫手。如果你願意像達文西一樣，嘗試著思考萬事萬物之間的關聯性，或許有朝一日你也能成為發明家喔！

生活中的小練習

1. 隨便找兩樣東西，說出它們之間最少三個關聯性。例如「衣服」與「保特瓶」。保特瓶回收之後，可以製成衣服；衣服包在保特瓶外面可以保溫；衣服可以設計成裝保特瓶的袋子。
2. 選兩樣你喜歡的東西，思考它們的製造過程中出現哪些相關聯的事情。例如「茶壺」與「手機」。茶壺用泥沙燒製而成，手機的IC晶片也是提煉泥沙中的矽所製成。

創意生活奔馳法：SCAMPER

除了模仿達文西的七種生活習慣，還有一項也是值得我們在生活中去實踐的指導方針，稱為「創意奔馳法：SCAMPER」。這個方法是由伊伯爾（Bob Eberle）修正腦力激盪法創始人奧斯本（Alex Osborn）的檢核表法而來。

SCAMPER由七個英文字的字首所組成：

S（Substitute something）可以替代什麼？或找什麼來替代？

C（Combine）可以相互合併或結合嗎？

A（Adapt）可以適用在哪些場合？

M（Modify / Magnify）可以修改嗎？可以變大嗎？

P（Put to other uses）可以改變用途嗎？

E（Eliminate）可以刪除或減少些什麼嗎？

R（Rearrange / Reverse）可以重新排列或顛倒位置嗎？

簡單來說，SCAMPER代表激發靈感的思考方向。在說明它們的意涵之後，接著舉幾個生活中的實際案例給大家做個參考。

Substitute something 可以替代什麼？或找什麼來替代？

喝酒不開車的道理大家都懂，政府透過電子媒體、平面媒體不斷向民眾宣導這項政策，也在重要路口隨時臨檢，但酒駕事故仍然層出不窮，這是因為民眾沒什麼感覺，根本沒在怕！

2013年農曆春節前，我經過捷運板南線板橋站出口，看到新北市政府以改裝警車取代傳統的文宣海報、電子看板。相信看到的民眾一定很有感覺，以後參加尾牙餐會，想喝兩杯的就別開車囉！

● 圖3-2a SCAMPER ～替代

Combine 可以相互合併或結合嗎？

2006年我應香港博贊中心邀請，擔任心智圖法比賽的評審與講座，會場設在香港荃灣商會學校。抵達時，看到禮堂的椅子排列得非常整齊，令我十分驚訝與佩服。蹲下仔細一瞧，發現原來椅子結合了勾扣，讓彼此可以合併在一起。

哈哈！看到沒，曹操當年赤壁之戰就栽在這個連環扣，不熟悉水性的曹軍將船艦首尾相連，結果被一把火燒得丟盔棄甲。但這個概念用在學校禮堂的椅子，卻是很實用的一項生活創意呢！

● 圖3-2b SCAMPER ～合併、結合

Adapt 可以適用在哪些場合？

本章一開始就提到，生活中的創意不僅要求是「新的」，而且得是「有用的」才行。因此我們必須不斷動腦筋，思考同樣的東西或概念，可以適用於哪些不同的場合？

例如保護西裝、大衣的保護套，平常使用於外出旅遊的場合。2000年我應邀前往日本北海道札幌授課，課後學生請我到一家燒烤店用餐，店家很貼心地準備了衣服保護套，讓我們把西裝外套放置其中，以免沾附燒烤的煙味。原本用在旅行時保護衣服的套子，也能適用餐廳用餐的場合！現今這種服務已經很普遍，但日本的餐廳在20多年前就有這項服務，由這點觀察，日本確實有不少生活中的創意值得我們取經學習。

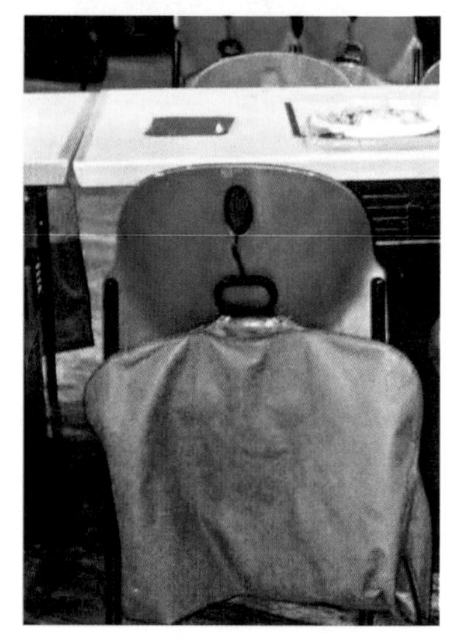

● 圖3-2c SCAMPER ～適用

Modify / Magnify 可以修改嗎？可以變大嗎？

2014年夏天的某一個午後，我漫步在大安森林公園附近，突然看到一幕讓我覺得非常窩心的景象。一位計程車司機把他的後車廂改裝成可以讓輪椅固定、順利上下車的設備。在好奇心驅使下，我上前與這位司機大哥聊了一下，原來他會做這樣的改裝，是因為察覺高齡化社會的來臨，未來這方面的需求會越來越多。更令我感動的是，提供這樣額外的貼心服務，居然也是照錶收費。沒錯，看到別人的需求或不便，就是自己的機會，稍微做個改變，商機無限！

● 圖3-2d SCAMPER～修改

讓客戶留下良好的深刻印象，是每一家商店追求的目標。有一天跟同事到忠孝東路與東新街口吃火鍋，路上經過一家銷售燈具的商店，看見店門口放置一個比人還高的放大版檯燈，而且還真的會亮！看著上面「請跟我合照」的字條，忍不住內心的衝動，立即上前拍照，並上傳臉書打卡與朋友分享。這麼一來最大贏家是誰呢？當然是這家燈具店，我在幫他免費宣傳打廣告啊！

● 圖3-2e SCAMPER～變大

Put to other uses 可以改變用途嗎？

著名的「新編創造思考測驗」在語文測驗項目中，有個題目是「竹筷子的不尋常用途」，也就是竹筷子除了當餐具夾食物之外，還有哪些其他用途？換句話說，思考某一件東西，除了原本的功能之外，它還可以有哪些用途，是創造力當中很重要的能力指標之一。

我的古董機械錶很不人性化，每個月都得手動調整月份、日期指針，而調整的按壓孔很小，我的法寶就是原本做為文具的迴紋針，將它改變用途成為修手錶的工具。

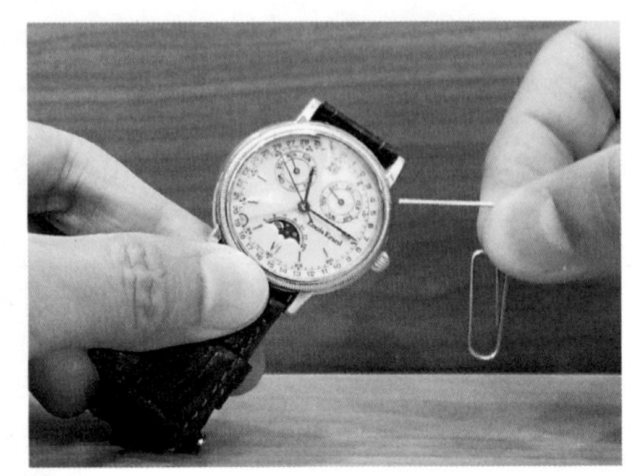

● 圖3-2f SCAMPER ～改變用途

Eliminate 可以刪除或減少些什麼嗎？

數學有加法也有減法，創造思考同樣也有加法（Combine）與減法（Eliminate）。我們可以思考一下，平常使用的東西有哪些功能用不著，不妨將它刪除，一方面讓操作更簡單，另一方面也可以降低成本。例如近年來頗為流行的銀髮族專用手機，刪除了一大堆智慧型手機的功能，但貼心地加大按鍵，並在上方結合手電筒、背面設計緊急求救按鈕，把創造思考的加法和減法全用上。

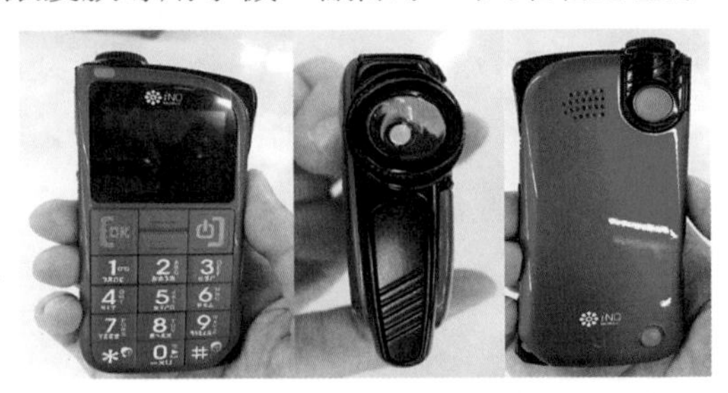

● 圖3-2g SCAMPER ～刪除、減少

Rearrange / Reverse 可以重新排列或顛倒位置嗎？

你聽過誰把內褲外穿呢？沒錯，就是電影中的「超人」，這也是一種創意！有一次我到陽明山一家溫泉餐廳吃飯，看到廁所洗手台的水龍頭竟然是上下顛倒的。為什麼這樣設計？大概是洗手的同時，也可以將把手沖洗乾淨，真是一舉兩得！

● 圖3-2h-1 SCAMPER ～顛倒位置

另外，類似圖3-2h-2這種可以自己組裝、更換筆芯的彩色水性筆，大家在文具店裡可能看過。傳統的三色、四色原子筆都是由廠商組裝完畢後賣給消費者，但是這款筆的設計，筆芯和筆身是分開販售，並由消費者自己組裝，而且顏色非常多，其中一色用完可以自行替換。這款創新產品的設計概念，將生產的組裝流程重新排列，賣「零件」給客戶，讓客戶自己組裝成最終可使用的產品。類似概念在DIY家具非常普遍。

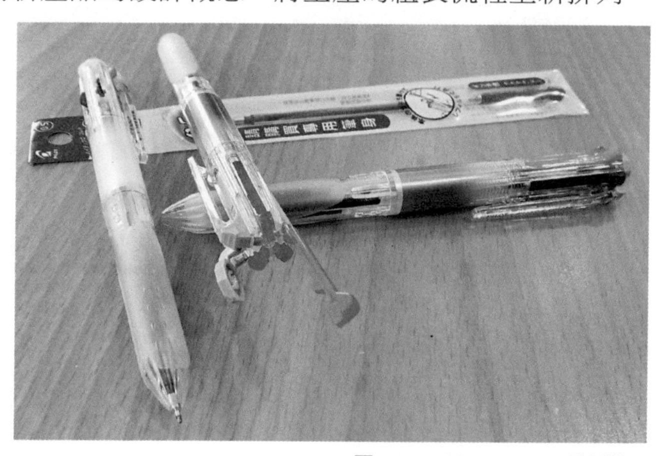

● 圖3-2h-2 SCAMPER ～重新排列

除了重新排列或顛倒位置之外，Reverse還可以延伸成「時光倒流」。很多古早的東西拿到今天來使用，也是一種創意。

例如圖3-2h-3是我到一家餐廳用餐，鍋子裡的佳餚端上桌還必須燜煮10分鐘，服務員在做完說明後，拿出人類還沒發明時鐘以前所使用的沙漏，放在桌上倒數計時，我覺得很有趣，便順手拍下了這張照片。

在SCAMPER當中，這當然有「替代」現今常見的電子計時器的意涵，但也體現出Reverse「時光倒流」的感受，讓客人有驚喜的用餐經驗。

● **圖3-2h-3 SCAMPER ～回到從前**

牛刀小試

看了那麼多案例，現在請你與家人、同事或朋友一起觀察圖3-2i這張照片，那是我在講手機的畫面喔！請仔細看看我左手拿的話筒，它用到SCAMPER當中哪幾個元素呢？經過討論分享之後，看看你與大家的想法有哪些相同，哪些是不一樣的？

這個練習題目我不打算提供範例解答，希望留給各位更大的思考空間，但我會在下頁以另一個題目「鉛筆」為大家做示範。

● 圖3-2i SCAMPER～演練

往後在你的生活中，倘若發現一些會讓你眼睛為之一亮的東西，請思考一下它應用到SCAMPER當中哪幾個元素，並以心智圖法的方式記錄下來。

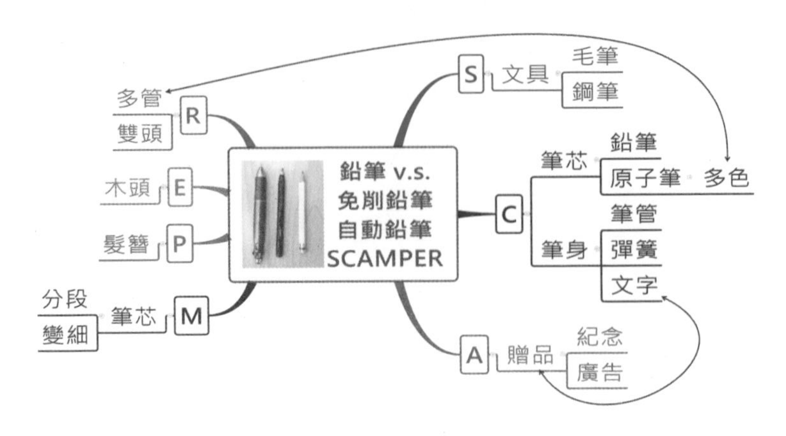

● 圖3-2j SCAMPER～「鉛筆」範例

圖3-2j這張心智圖，是以傳統鉛筆改良為免削鉛筆與自動鉛筆為例，提供SCAMPER應用分析示範參考。

傳統鉛筆的發明，使鉛筆「取代（S）」了早期中國的毛筆與西方的沾水鋼筆；把傳統鉛筆筆管的木頭「刪除（E）」，將鉛筆芯「修改（M）」變細或分段；「結合（C）」塑膠筆管，分段的筆芯成為免削鉛筆，變細的筆芯再「結合（C）」彈簧等設備，就成為自動鉛筆；將自動鉛筆筆芯「重新組合（R）」成多支不同顏色筆芯在一個筆管內，就成為四色筆加上自動鉛筆；不同粗細或顏色的筆芯「重新組合（R）」在一支筆身兩端，就成為雙頭筆；在筆身加上文字可以「做為贈品（A）」；不論是哪一種鉛筆都可用於文具以外「其他用途（P）」，例如髮簪。

創新的判斷標準

透過奔馳法SCAMPER的腦力訓練，不僅可以訓練觀察力、敏覺力，也是落實達文西七個生活習慣的最佳實務演練。

當我們腦海中將某一項產品改良或創新之後，究竟它有沒有價值？該怎麼判斷？在創造思考的策略中，會依不同目的而有不同的判斷標準。

生活中的創新可以根據下列四個準則來判斷：

- 新奇性：不同於其他的想法或物品，具有獨特的性質。
- 實用性：新想法或新物品必須對生活有幫助，能發揮功能性。
- 進步性：新想法或新物品必須對社會產生具體貢獻，具有前瞻發展的性質。
- 精緻性：新想法或新物品具有良好的品質。

再來同樣使用圖3-2i那張照片，將我手上拿的那個手機話筒，根據創新的四個準則，以心智圖解析如下：

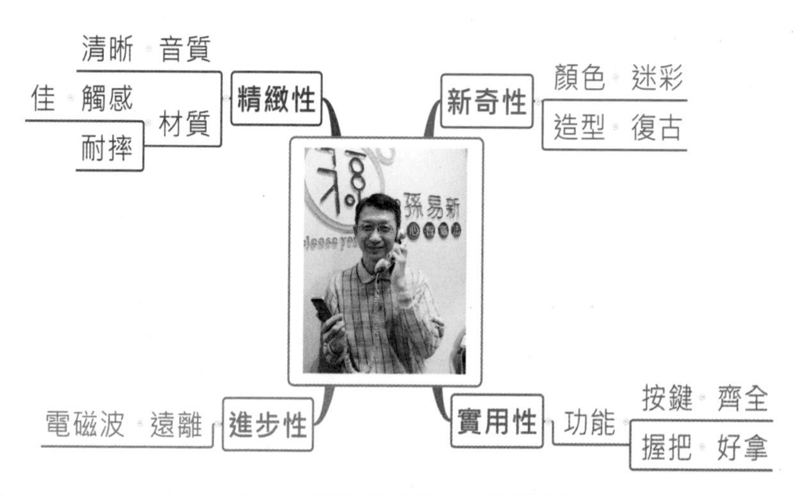

● 圖3-3a 創新四個準則～分析手機話筒

此外，在下一節當中，為了更進一步培養各位想像的能力，我將帶領大家進行有趣好玩的聯想遊戲，激發你無限的創意！

牛刀小試

「Walkman」這種行動收聽音樂的裝置，從1979年推出第一代產品，至今已有35年的歷史，經過多次改良與創新，仍歷久不衰。

2014年，我為了參加泳渡日月潭的活動，添購不少設備，其中包括照片中我戴的這款可以一邊游泳，一邊聽音樂的Walkman。

請以心智圖的方式，試著從新奇性、實用性、進步性與精緻性分析這項產品。

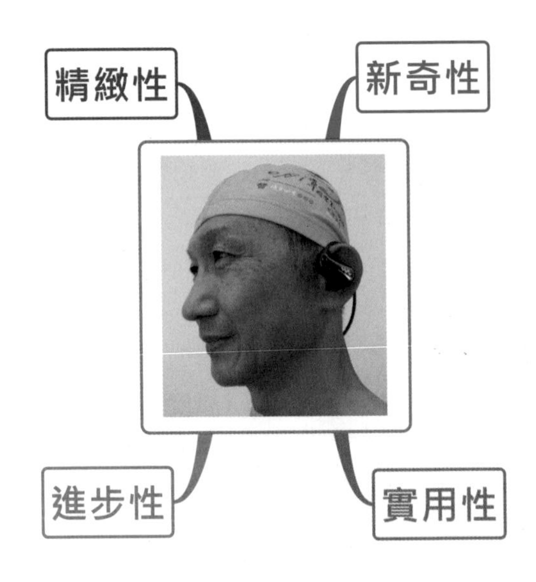

● 圖3-3b 創新四個準則～分析游泳專用Walkman

〔參考範例在第217頁〕

第二節　創造力訓練小遊戲

如前文所述，心智圖法的放射性思考模式植基於分類結構與因果關係的展開，透過「聯想」（Association）呈現思維的動態歷程。因此，聯想能力是心智圖法重要的關鍵要素。在本節中，我們透過幾個思考訓練小遊戲，不僅可以打好心智圖法的基礎，對創造力的提升也有很大的幫助。

比喻性思考

哲學家、文學家或語言學家很早就注意到，人類會使用比喻、比擬、譬喻、類比、借喻等修辭讓語言更有具象美。因此，比喻性思考不僅是人類認知與思考關鍵要素之一，也能豐富情感的表達。

接下來就讓我們一起來練習比喻接龍吧！別忘了，心智圖法強調探索我們「心智」的「地圖」，所以在跟家人、朋友玩這個遊戲的時候，一定要說明為什麼你會這樣比喻。

「老師」好比「園丁」，因為老師像園丁照顧花朵般呵護著我們。

「園丁」好比「父親」，因為園丁修剪枯枝殘葉，就像父親訓誡孩子改掉壞習慣。

「父親」好比「聖誕老公公」，因為父親常常買禮物給我。

「聖誕老公公」好比「賽車手」，因為聖誕老公公聖誕夜要到很多地方送禮物，所以一路狂飆。

「賽車手」好比……

後面的比喻接龍，請你繼續聯想下去囉！

抽象與具體概念之間的聯想

心智圖法在分類結構中，越上位階代表越抽象的概念，越下位階代表越具體的東西。因此，熟悉虛與實，意即「抽象」與「具體」之間的邏輯關係，對強化心智圖法運用能力會有很大的幫助。圖3-4a是以「食物」這個屬於比較抽象概念的大類名詞為題目，聯想一些具體的東西。

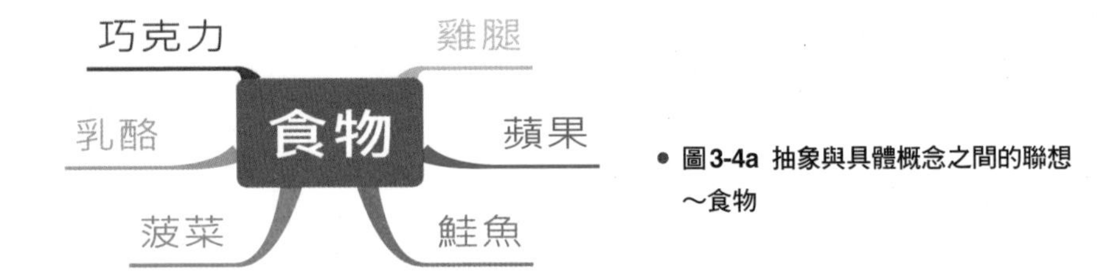

● **圖3-4a 抽象與具體概念之間的聯想～食物**

牛刀小試

請你以「交通工具」為題目，試著寫出具體的東西。

交通工具

● **圖3-4b 抽象與具體概念之間的聯想～交通工具**

〔參考範例在第218頁〕

五官統合的聯想遊戲

圖3-5a視覺上的「白雲」會讓你的聽覺、味覺、觸覺、嗅覺產生什麼聯想？為什麼？達文西的天賦才能之一就是具有敏銳的五官感受，擁有優異創造力的人，對五官統合的感受性特別強烈。我們在日常生活中也可以模仿達文西，並以心智圖記錄當下的感受，讓五官更敏銳、想像力更豐富、人生更精彩！

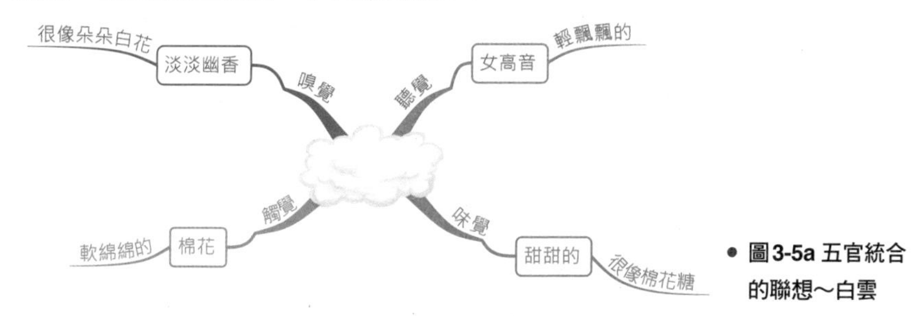

● 圖3-5a 五官統合的聯想～白雲

牛刀小試

請與親朋好友以視覺的「彩虹」為題，看著下面這張心智圖說出自己的聯想，並說明為什麼會有這樣的想法。這個練習沒有標準答案，但透過彼此分享可以激發我們更多的靈感。也可以把主題改成味覺的「牛奶」、聽覺的某一首歌曲，去聯想其他的感官感受。

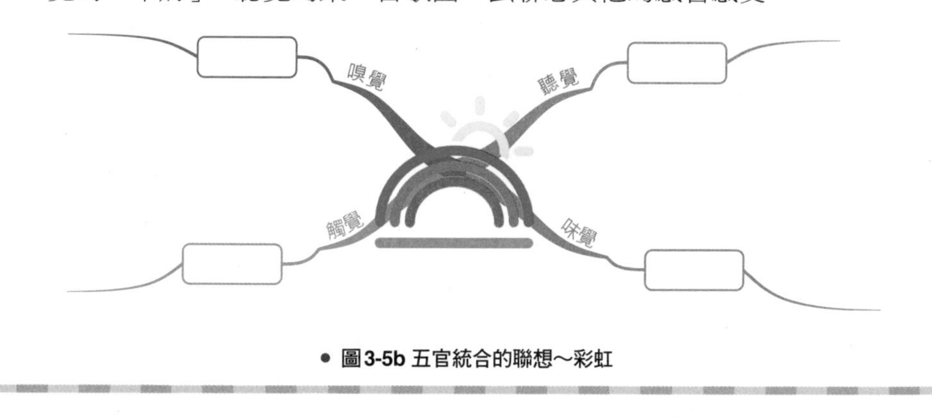

● 圖3-5b 五官統合的聯想～彩虹

第三節　應用心智圖法提升創造力

面對社會環境快速變遷，迎接創意經濟與產業競爭的挑戰，創造力訓練已列入各國教育的基礎課程。

創造力是創意的來源、是創新的知識基礎，創新則是創意與創造力的具體實踐。如何透過有效的實踐方法與工具的使用，來提升創造力是當前重要課題。在本節中，我將為大家說明如何應用心智圖法提升我們的創造力。

開啟思考的活口

相信你可能有發現到，在圖3-4a的「食物」與「雞腿」之間，應該還可以插入中類、小類的概念，對吧？沒錯，在第二章第一節談到分類技巧時，就有舉例說明。如果加入中類、小類可以延伸更多想法，也就是開啟更多思考的活口，這對創造力當中的流暢力、變通力、獨創力與精進力都有很大的幫助。圖3-6a是為大家所做的示範。

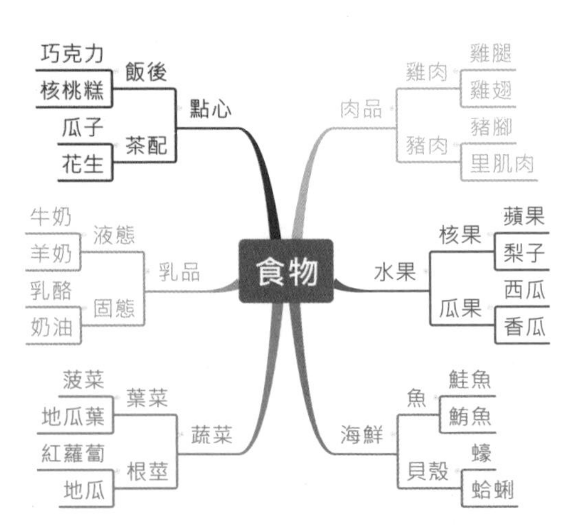

● 圖3-6a 抽象與具體概念之間增加分類結構～食物

圖像思考：流暢力

「流暢力」，是指針對題目或問題能夠連續思考並產生構想的能力，也就是想法的數量越多，流暢力越好。我們要如何提升創意思考的流暢力呢？希臘哲學家亞里斯多德曾經說過：「若要想法源源不絕展開，必須以視覺化的形式。」

所以要提升創意思考的流暢度，就是在腦海中浮現要討論題目的情境畫面，然後盡快把想法寫下來。這時候不要太在乎標準答案，只要根據自己的人生經驗，或從自己的角度去思考就好。

例如參加愛心慈善募款園遊會的義賣，究竟我們的攤位要賣什麼呢？如果心中一直想「賣什麼」這幾個字，腦袋一定空白。若是浮現你熟悉的百貨公司美食街（圖3-7a）、夜市圖像，「看到」好多好吃的東西，就可以寫出一大堆「看到」的美食（圖3-7b）。因此，**經由心智圖法四大核心關鍵之一的視覺化「圖像思考」，可以提升創造力當中的流暢力。**

• 圖3-7a 視覺圖像思考～百貨公司美食街

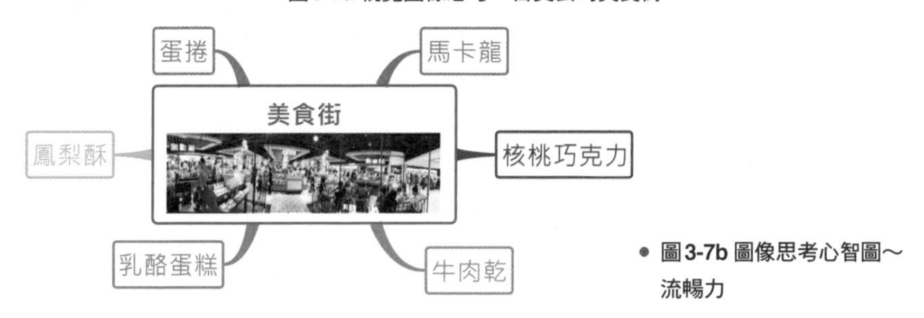

• 圖3-7b 圖像思考心智圖～流暢力

分類思考：變通力

我們常聽人家說：「欸，你這個人真是不會變通！」就是說他的想法、做法很固執，拘泥在既定或相同的領域。「變通力」就是能夠改變思考方向和內容，能夠跨界、跨領域思考的能力。

透過圖像思考固然可以提升流暢力，但從圖3-7b那張心智圖可以發現，所想到的東西都是點心類，而且受限於場景範圍內的所見所聞。若是能將圖3-7b**以心智圖法的CHM：分類與階層法（詳細內容請參考《心智圖法理論與應用》第5章第2節）進行邏輯分類，可以讓我們改變思考方向與內容，讓想法更變通，不會拘泥於同質性的事項。**

懂得變通之後，在圖3-8a中，我們在愛心慈善募款園遊會義賣的東西變得多樣化了，不僅吃的方面多了一些選擇，甚至還將義賣物品範圍擴大到喝的、玩樂與日用品等。

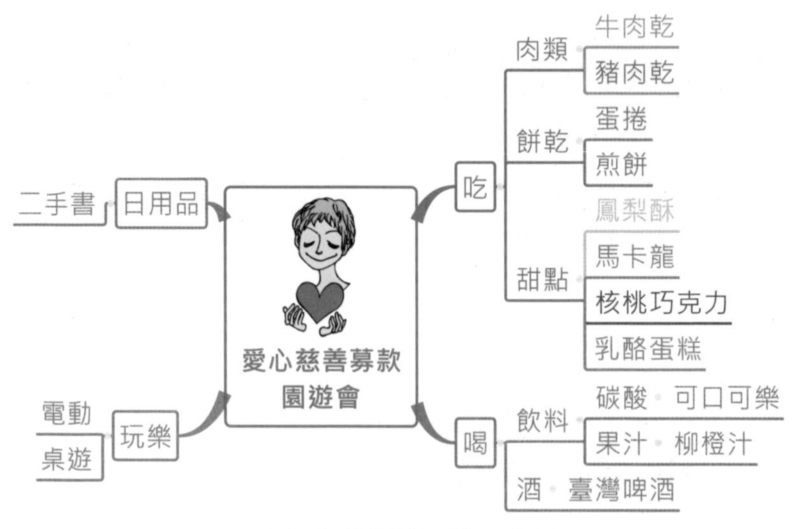

● 圖3-8a 分類思考心智圖～變通力

關鍵字思考：獨創力與精進力

當我們能夠很流暢地想出很多構想，並且能彈性變通地涵蓋很多類別或不同領域時，往往會發覺你想得到的，別人也想得到，而這項產品或服務上市之後，由於同質性太高，最後就淪落到殺價競爭的紅海市場。為了避免類似的窘境發生，我們就必須具備產生獨特想法的「獨創力」，或在既有構想上增補細節的「精進力」，讓推出的產品或服務更具有價值。

近年來，心智圖法之所以被廣為應用在創造思考的活動中，各級學校、各大企業的訓練課程紛紛導入心智圖法，重要因素之一就是心智圖法對提升創造力有顯著的成效。2006年我針對企業人士所進行的一項實驗研究結果也發現，心智圖法對提升創造思考的流暢力、變通力與獨創力，效果特別顯著。

在快速變遷與講求創新的競爭環境中，具有脫穎而出的「獨創力」是成功關鍵。要如何應用心智圖法讓我們想到一些別人忽略或想不到的事情呢？技巧就是善用「關鍵字思考」。由於心智圖法源起於語意學，語言的基本結構是以一個語詞為單位，例如「主詞＋動詞＋受詞」，所以心智圖法在選擇關鍵字的數目上，建議每一線條上只書寫一個語詞，除非是特定或不可分割的概念，才可以把完整的詞組或整個句子寫在一起。

圖3-8a當中有不少東西可以拆解成兩個關鍵字，讓我們思考事情時，比較容易產生更多想法（流暢力），開啟新的思考方向（變通力），以及想到別人可能忽略的東西（獨創力）。例如「牛肉乾」可拆解成「肉乾 - 牛肉」，在「肉類」之下與「肉乾」同一階類別，讓我們想到「新鮮」；日用品之下的「二手書」可拆解成「二手 -

書」，讓我們想到「二手 - 衣服」、「二手 - 家電」……。從圖3-8b可以發現，跟原本圖3-8a那張心智圖相比，內容上豐富了不少，也彰顯心智圖法在提升創新思考的功能。

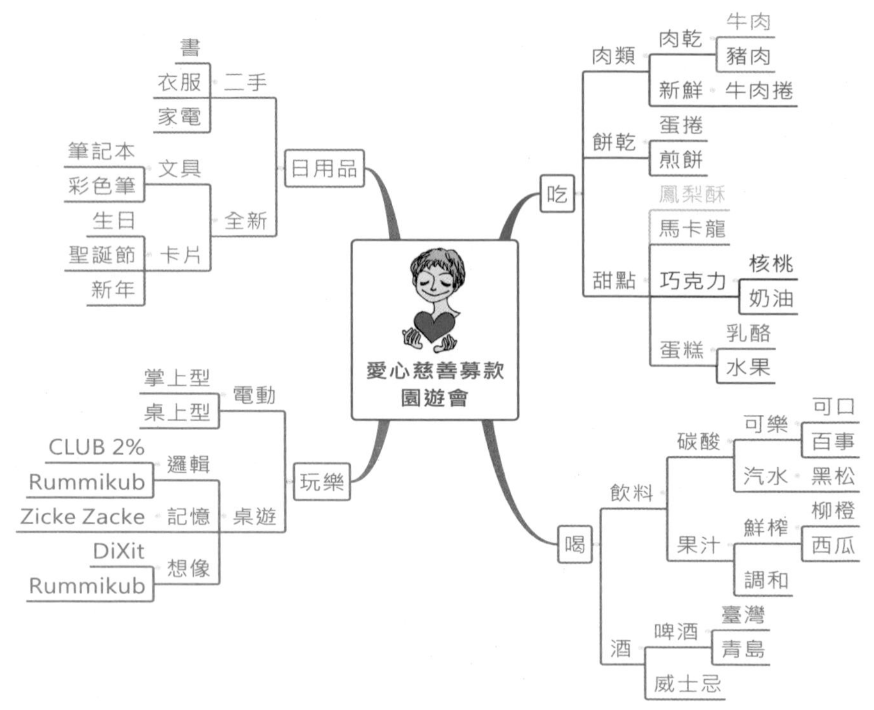

● 圖3-8b 關鍵字思考心智圖～獨創力與精進力

牛刀小試

請你以「竹筷子的不尋常用途」為題目，以心智圖法的方式去想想看，竹筷子除了吃飯夾菜之外，還有哪些其他用途。

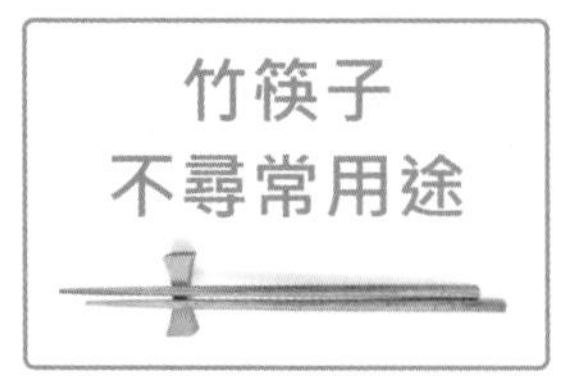

〔參考範例在第218頁〕

案例分享

● **圖3-9a 創意解題：黃金傳說之100元過7天**

由於心智圖法對於創意思考的功效，不少大學為提升學生的「創意、創新與創業」能力，推薦許多教授前來公司接受心智圖法師資培訓，這群結訓的心智圖法種子老師回到校園後，以所學的心智圖法教授企業管理、市場學、經濟學、創新企劃等課程。圖3-9a是賴鈺晶教授在輔仁大學廣告系指導邱昭穎同學，用心智圖構思「如何以100元過7天」，大家仔細瞧瞧，還真的出現不少可行方案呢！

{ 優　　點 }

邏輯結構很清晰，例如「努力賺錢」分為打工與變賣家產，「變賣家產」又分為二手與全新。

{ 這樣調可以更好 }

這是一個創意解題的心智圖，思考時應掌握一個關鍵字的原則，才能開啟思考的活口，想到更多面向的事情。例如「變賣家產」可以寫成家產、變賣，從「家產」想到與變賣同位階概念的出租。

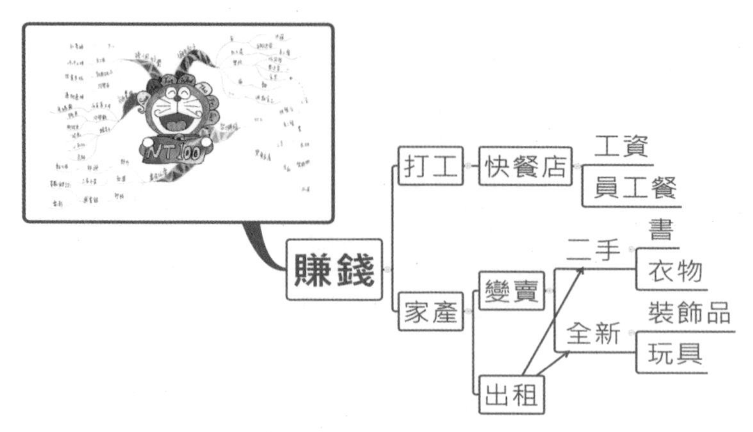

● **圖3-9b 創意解題：黃金傳說之100元過7天（修正結構）**

另外，下面這張心智圖（圖3-9c）是上課時拍下來的，也是很好的創意思考範例。這是臺北市新湖國小幾位參與心智圖法課程培訓的老師，在創意解題單元「垃圾變黃金」，以心智圖法構思一些廢棄的瓶瓶罐罐可以做為哪些用途。看！是不是超有創意的呢？

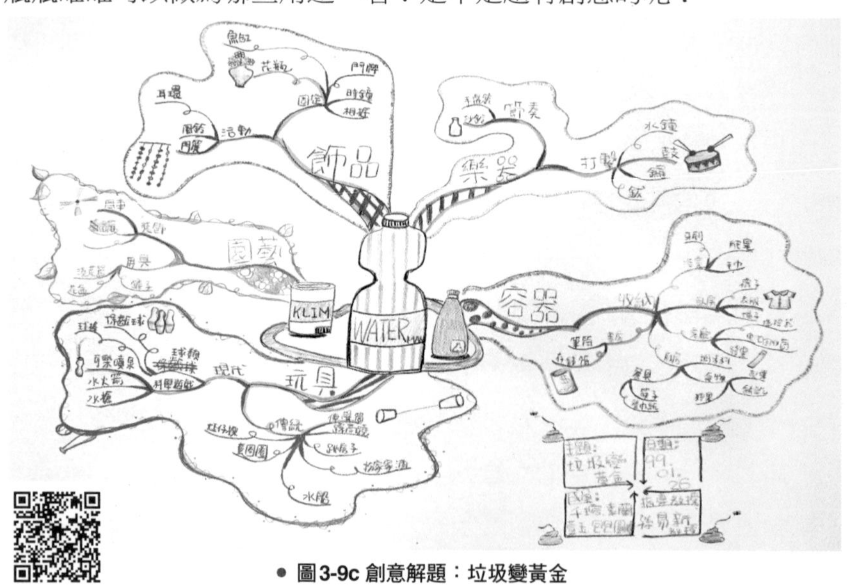

● **圖3-9c 創意解題：垃圾變黃金**

優雅的人生

GCDF全球職涯發展師 蔡興正
（孫易新心智圖法®2013年師資培訓結業）

時間回到十年前，在偶然的機會中，參與研發經理人訓練，與心智圖進行了第一次接觸。當時上課內容已經不太記得，不過很奇妙的是，這一張樹狀圖卻一直跟著我，原因在於工作時經常被緊急的事情打斷，但只要利用這一張圖，隨時可以找回思考的起點，不但省力且能清楚表達自己的想法。

推近到三年前，當自己在思考人生下一階段要往何處去時，突然收到訊息：心智圖法說明會，免費，孫易新老師。我心想，這個方法不是很簡單嗎？為何需要學習？更不可思議的是，老師研究這個方法已經十幾年了。於是我抱著好奇心，報名參加心智圖法說明會，想要一探究竟。

儘管已有多年使用經驗，在一個半小時後，我的視野仍然重新被打開了，認識到心智圖法並不是一門簡單的課程，原來它可以發揮的面向如此之大，同時也讓自己想做的事情有更深入的連結，於是就從六天精修班、兒童講師班，一路上到職場應用師資班。由於前面有巨人引導，這三年心智圖法的學習過程讓我省了許多氣力。

心智圖與心智圖法不同，前者是工具，後者為方法，方法分為術法與心法，因此，我將心智圖法視為一個訓練自己邏輯力、思考力與統整力的方法，利用有系統、有組織、有架構的方式進行訓練，將隱性的能力轉化成可以分享的能力，這是讓我愛上心智圖法的原因。

為了讓這些能力與我的生活連結，我大量的使用心智圖法。工作上，自己製作工作儀表板，運用關鍵字思考強化我的思考力，以分類邏輯訓練讓我在處理事情時更有條理。同時，我也想將這樣的能力傳給下一代，所以研修了兒童班，希望我的孩子也能感受到這個方法的好處。

當心智圖法將一個人能力不斷持續有效提升之後，就可以去影響別人。舉例來說，利用心智圖法搭配管理的架構，例如5W2H，可以用於討論議程，有別以往會議冗長仍得不到結果，現在速度加快且過程清楚。

有言道，時間就該浪費在美好的事物，花時間慢慢的享受美景，與家人共進晚餐……等。對於事情的處理，講究的是效率與嚴謹，一鬆一緊之間有分寸拿捏，這樣的人生將過得更優雅，何樂不為呢？

– Part –

3

成長之路

心智圖學習法

第四章

心智圖筆記術

「凡是走過必留痕跡」，那麼學習過後，是否必留記憶？

那可未必，除非你用心整理自己的讀書筆記。

因為，「作筆記」是一切學習的基礎。

有效的學習，必須先記錄，然後再記憶。

然而，筆記不是工整就好，還要有「系統性的書寫」。若只是單純抄筆記，很難達到刺激大腦思考與學習的效果，必須一面思考一面書寫，才是能夠鍛鍊思考力的筆記術。筆記有了系統性，「複習」也更加容易。

麥肯錫筆記術也強調，筆記的終極目的在於「解決問題」。整理筆記的效益可以將作者的想法索引化，轉化成為自己的思緒；透過筆記可以方便與他人共享資訊或想法；一個有系統的筆記是建立輸出資訊、想法的基礎。

因此，當我們在讀書的時候，若能養成隨時以具有邏輯系統、必須自己動腦統整結構的心智圖，記錄閱讀文章重點的習慣，留下自己的讀後心得，不僅可以累積個人的知識庫，也是釐清思考脈絡的最佳方法。

接下來的兩個章節，將為大家介紹如何整理讀書時的心智圖筆記，以及如何應用心智圖法增強記憶力。

第一節　如何決定心智圖筆記的分類結構

初學心智圖法最常見的困惑之一，就是從中心主題展開分類結構時不知該如何決定。

別擔心，用心智圖作讀書筆記，若能掌握下列三個原則，基本上就可以幫助你整理出一張有助於理解內容、記憶文章重點的心智圖筆記。

一、依章節、段落標題的順序

這是最簡單、也是最普遍的分類方式，完全根據作者的邏輯思維架構，依序整理成一張心智圖筆記。一般而言，書籍架構最上層是「部」，但是大部分書籍會省略這個部分；下一層是「章」，再下層是「節」，接下來則是每一節當中的「段落標題」等。

為了讓大家更加清楚實際操作時的技巧，我以陳金城老師所著《企業管理》這本書為例，為大家做個示範。書中目錄只分出「部」與「章」，就好比大部分書籍分成「章」與「節」。於是我們先展開心智圖筆記第一階「部」的架構，如圖4-1。

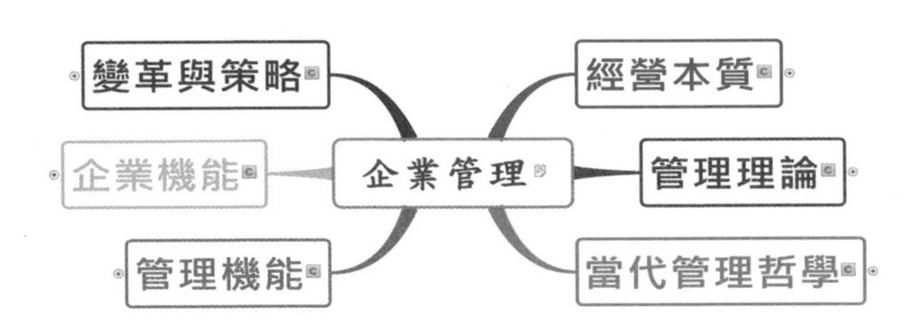

● 圖4-1 文章筆記架構：以書中目錄的「部」展開第一階

展開第一階的各個「部」之後，接著依序從第一部**經營本質**往下展開該部各章節，並依據目錄所標示的頁碼，以標籤方式加在各章節名稱之下，方便日後查詢，如圖4-2。

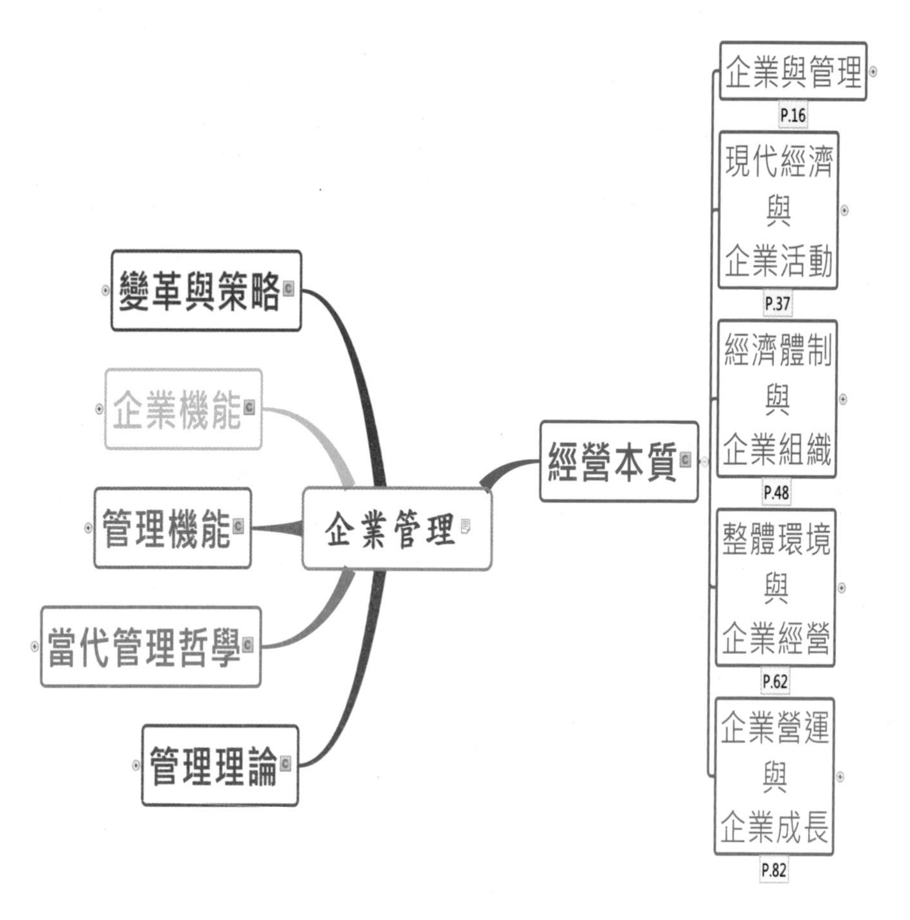

● **圖4-2 文章筆記架構：以「章」展開第二階**

圖4-3a則是根據第一部「經營本質」中第一章**企業與管理**各個段落標題所展開的架構。接著你可以把其他幾個章節也陸續完成。從這張心智圖當中，你就可以清楚掌握這本書的重點方向或知識的結構。

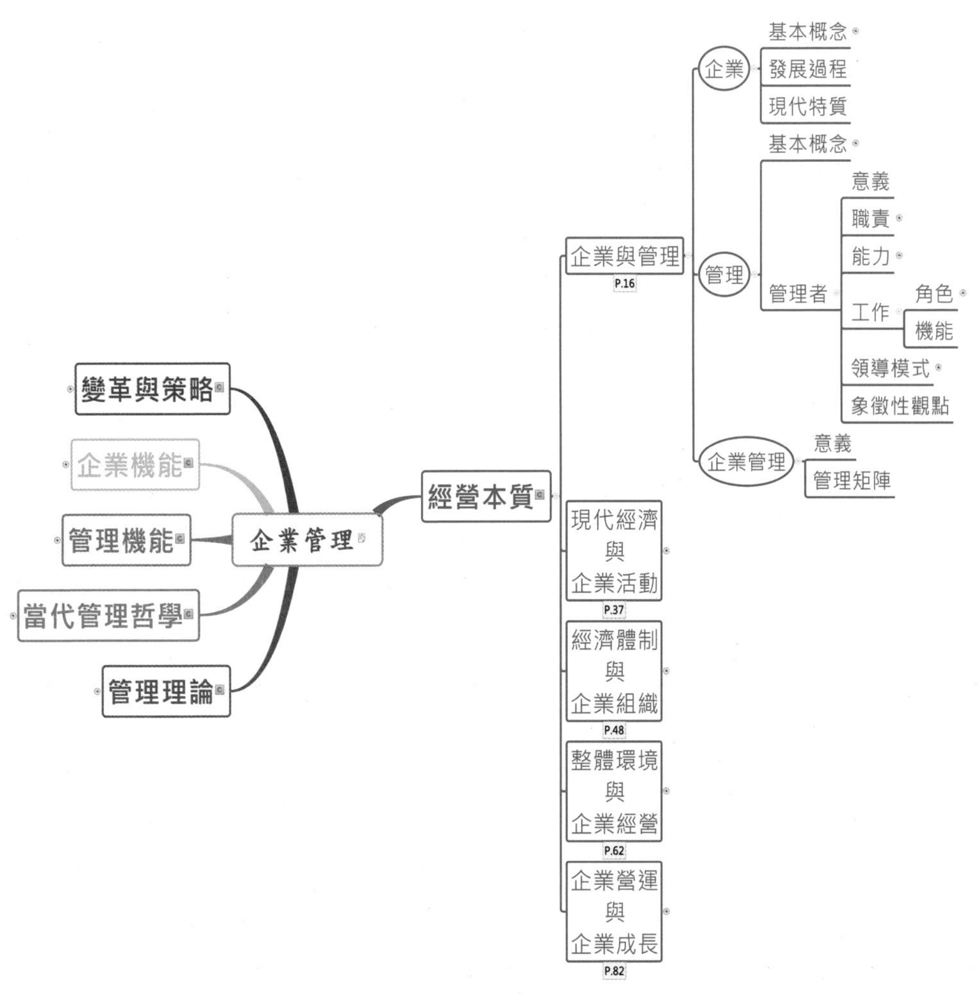

● **圖4-3a 文章筆記架構：以「段落標題」展開第三階之後的架構**

牛刀小試

請根據本書目錄中的「章」、「節」，整理成心智圖。

〔參考範例在第219頁〕

二、依文體或學習的目標

針對一本書的特定章節或單篇短文作心智圖筆記，必須考量學習的目標為何？該篇文章的文體屬於哪一種？為達到最佳學習的成效，在結構模組上也有所差異。

以下從常見的記敘文、抒情文、說明文與論說文等文體，說明它們的結構模組，並以記敘文《賣油翁》為例子（圖4-4a，圖4-4b），提供做為整理讀書筆記時的範例。

請注意，這些只是參考範例，可依實際情況或需求略作調整。同時別忘了打開國文課本，找幾篇記敘文、抒情文、說明文與論說文，根據圖4-4a、圖4-5、圖4-6、圖4-7的結構，試著把課文內容整理成心智圖筆記。多練習，腦海中必然會形成一種很自然的思考模式，對於文章寫作時的「組織結構」有很大幫助。

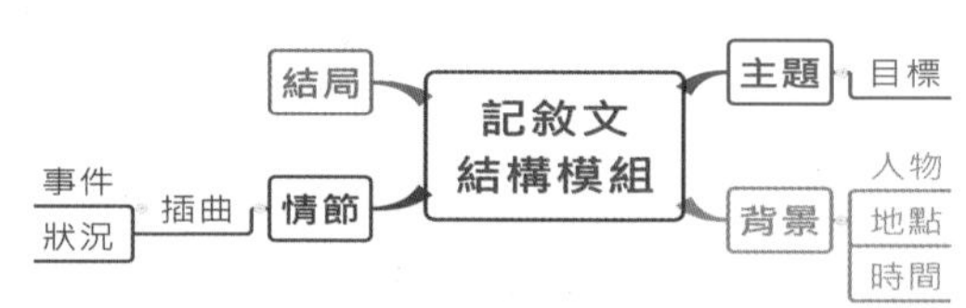

● 圖4-4a 記敘文結構模組

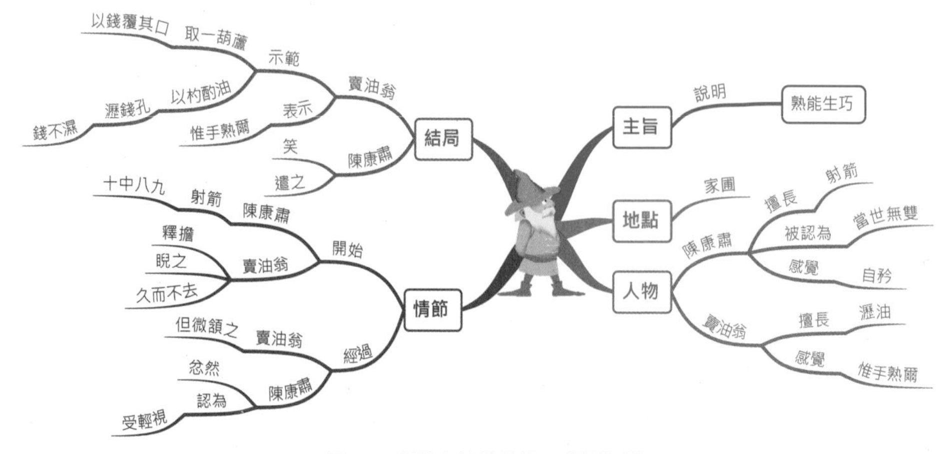

● 圖4-4b 記敘文結構模組：《賣油翁》

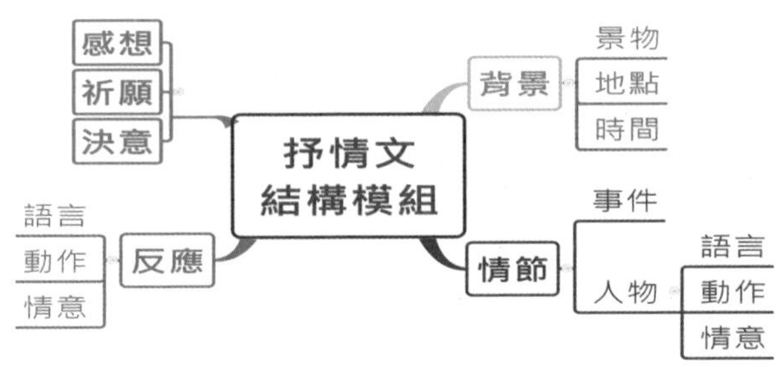

● 圖4-5 抒情文結構模組

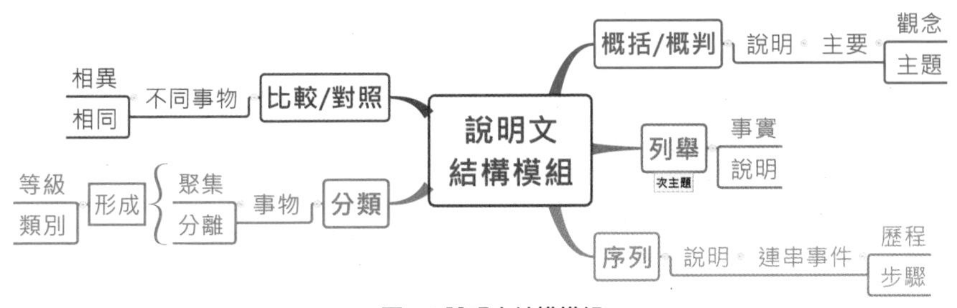

● 圖4-6 說明文結構模組

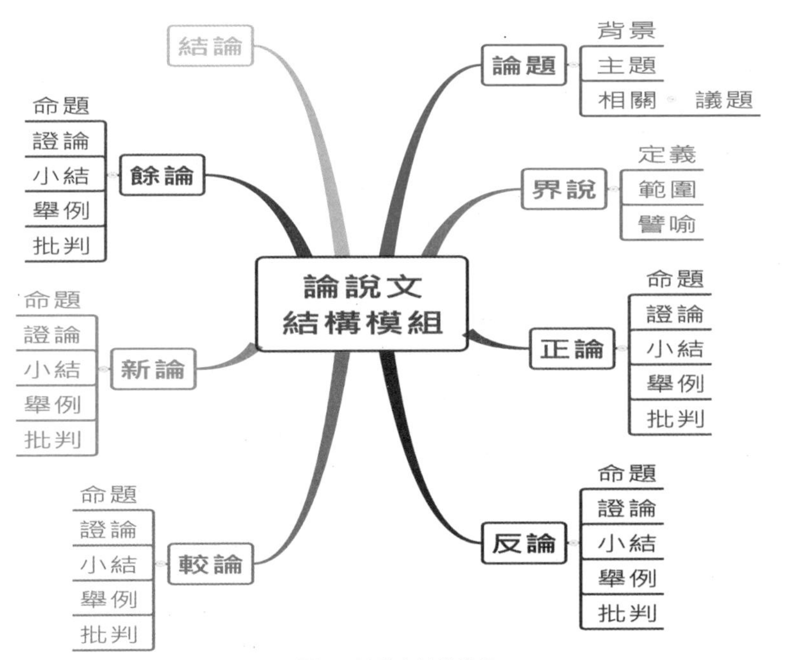

● 圖4-7 論說文結構模組

三、依問題或探討的主題方向

進行專題研究、寫論文的時候，有一項很重要的功夫，就是蒐集統整與研究主題相關領域的文獻，過去分別有哪些學者提出了哪些觀點、論述或研究成果，以便做為我們這次研究的基礎，或進一步做更深、更廣的研究。

因此，這種類型的心智圖筆記，其結構不是依照既定的內容架構，而是根據我們的研究主題，需要掌握哪些相關知識的領域來決定。圖4-8是以探討「組織行為」這個研究主題為例，展開需要探討文獻的方向，以做為進一步蒐集、統整不同學者對同一主題（例如「特性」中的「團體」、「績效」）所持觀點的依據。

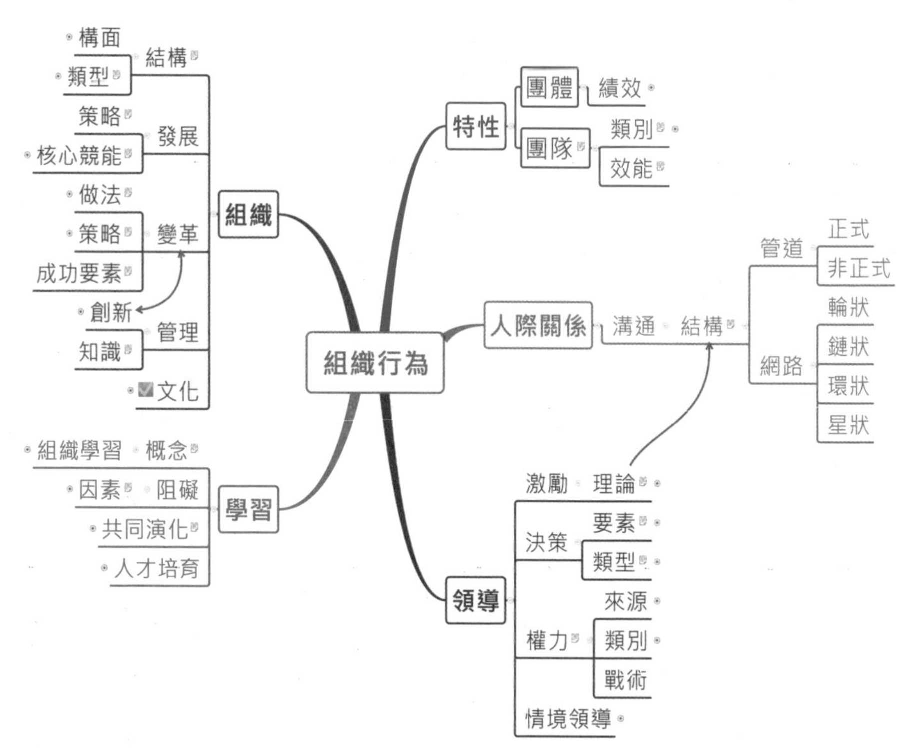

● 圖4-8 文章筆記架構：依問題或探討的主題方向

第二節　如何擷取關鍵字

關鍵字的詞性與精簡度

語言是溝通的重要工具，不論透過口語表達或書寫呈現，基本結構單位是「語詞」，小娃娃牙牙學語就是從一個個語詞開始，然後慢慢增加。從文法角度而言，**一個句子的基本組合是「名詞」與「動詞」，語言中的語法經由高頻優選與語意親疏的原則，來符合所謂的概括準確性與描繪準確性。**因此，我們是透過分辨句子中的基本單位「語詞」，及其各種組合規律來了解語意層次所要傳達的知識。

如第一章所述，心智圖源起於語意學當中的語意網絡圖。**心智圖法的關鍵語詞運用原則是：以「名詞」為主，「動詞」次之，加上必要的「形容詞」、「副詞」或「連接詞」等。**

至於心智圖筆記，內容要豐富或精簡到什麼程度，簡單的判斷準則就是：刪掉這些語詞，不會造成理解上的困難，就可以刪除；若刪掉會產生疑義、誤解，就得保留，甚至要加入更多的補充說明。所以，關鍵字的精簡程度，必須考量到心智圖使用者對該主題的熟悉度或相關背景知識。

關鍵字語詞的數目

1999年某一天，我應邀到新竹工業技術研究院講授心智圖法課程。當天上午有一位學員很早就來報到，手裡還拿著博贊先生的著作

《*The Mind Map Book*》，和幾張他應用在工作上所繪製的心智圖筆記。

他走到講台向我表示：「老師，我使用心智圖做為工作上的幫手已經好幾年了，覺得它用來整理文獻資料好像還不錯，但對於創新思考、工作計畫、問題分析等，好像跟其他工具差不多，沒有特別顯著的差異。但我聽上過您的課的同事說很受用，所以今天特地報名來這裡上課。」

我聽完之後，再看看他的心智圖筆記，立刻知道問題的癥結點在哪裡。在他的心智圖當中，每一線條上都寫著長長的一串字，這會限制我們大腦的思考，難怪他會覺得效果有限。

我常在課堂上舉一個例子：一盒500片的樂高積木，你覺得用強力膠把10片黏在一起，形成無法拆開的50大塊，再給小朋友去玩比較好？還是保留原本的500片比較好？答案當然是「保留原本的500片比較好」。這樣在組合時才會有更好的選擇性與創意。

同樣的道理，**在心智圖的每一線條上，關鍵字的數量盡量以「一個」語詞為原則，必要時才使用兩個以上語詞在同一線條上。**

採用「一個」語詞做為關鍵字來整理讀書筆記的優點是：對知識的統整會更具有自由度與結構性。

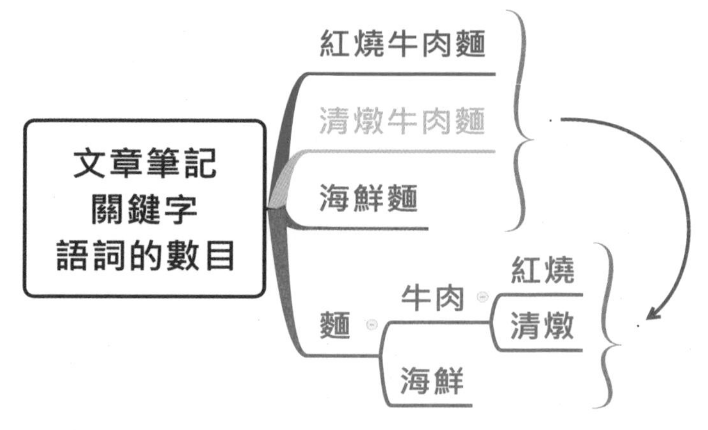

● 圖4-9 文章筆記關鍵字語詞的數目

但針對書名、章名、節名、專有名詞、成語、不可切割的概念等，還是允許整個句子書寫在同一線條上，但建議不要用「底線」的樣式，而是改用「圖文框」比較合適。

圖4-10是我在2001年手繪的一張骨董級心智圖範例，忍不住拿出壓箱寶跟大家分享。現在科技進步，繪製心智圖的電腦軟體很普及，手繪心智圖已逐漸被淡忘。但若要強化對內容的記憶，或增進對主題創意思考的效果，手繪心智圖的功效其實優於電腦軟體。

圖4-10左下方的「訓練課程」、「學習如何學習」等，都屬於主題或專有名詞，因此允許兩個以上的語詞出現在同一線條上，但採用的是圖文框形式。

● 圖4-10 文章筆記關鍵字語詞以圖文框形式呈現

關鍵字心智圖的優點

從語法知識的角度，心智圖法所展開的樹狀結構心智圖，可以幫助我們更清楚理解所要表達的意義，避免語意的歧義。

例如：**教室裡坐著認真讀書的小明與小華**

請問，小明認真嗎？應該是。

小華認真嗎？可能是，也可能不一定。

這句話中「認真讀書的」可以同時修飾小明與小華，也可能只形容小明是個認真讀書的同學，小華的情況有待進一步釐清。

但是，我們以心智圖來呈現「**教室裡坐著認真讀書的小明與小華**」這句話，就可以很清楚兩人的情況。

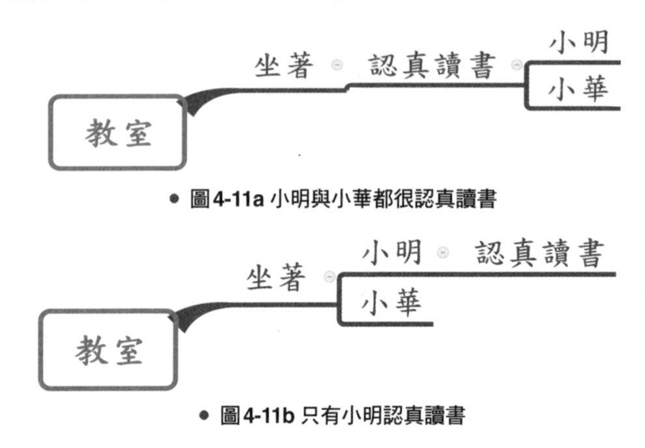

● 圖4-11a 小明與小華都很認真讀書

● 圖4-11b 只有小明認真讀書

第三節　心智圖文章筆記的技巧

掌握心智圖筆記的分類結構模組，以及關鍵字語詞詞性、數目的原則之後，接下來本節將說明用心智圖整理讀書筆記的技巧。

由於語文、數學、自然科學是學習任何學問的基礎，經濟合作發展組織（OECD）為了解各國教育水準，針對15歲學生所舉辦的「國際學生評量」(PISA)也包括這三個科目。因此，在文章筆記技巧案例解析中，短文或單篇文章也將以這三個領域做示範；整本書或主題式的心智圖筆記，則以大學、研究所相關科目教材來解說。

國語文：依段落標題做為結構

認識米老鼠

名稱：這位廣受大小朋友喜愛的卡通人物，中文名稱有米老鼠或米奇，英語名稱是「Mickey Mouse」。

創作：他的誕生年代是在1928年，由華特．迪士尼和烏布．伊沃克斯兩人於華特迪士尼工作室這個地方所創作的。

服裝：米老鼠經典的服裝，通常是穿著紅色短褲、黃色鞋子和白色手套。

作品：米老鼠除了出現在我們熟知的卡通作品之外，也在漫畫、電影及遊戲中出現。

從這篇文章的標題，很清楚知道是介紹讀者認識米老鼠，因此這份心智圖筆記先是要繪製一個代表米老鼠的圖像，例如圖4-12a以三個足球很有創意地表達出我們所熟悉的米老鼠。

● 圖4-12a 心智圖筆記：國語文～〈認識米老鼠〉中心主題圖像

從文章中的段落標題，很清楚說明四大段落的內容，於是我們把這四個標題名稱做為心智圖筆記的主架構（圖4-12b）。

● 圖4-12b 心智圖筆記：國語文～〈認識米老鼠〉根據段落標題展開文章的大架構

在段落中，如果內容可以再予以分類的話，要先列出中類、小類，例如圖4-12c中的「中文」與「英語」；最後才加入細節部分（圖4-12d）。

● 圖4-12c 心智圖筆記：國語文～〈認識米老鼠〉將段落內容再區分成中類、小類

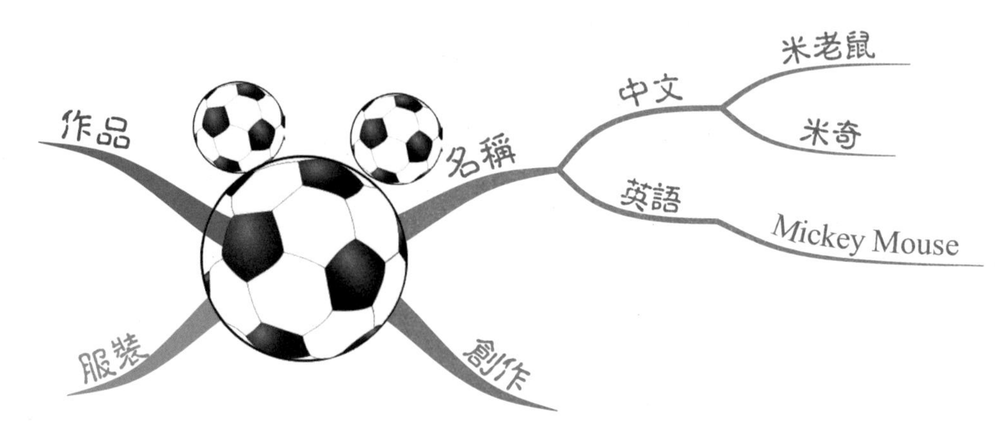

● 圖4-12d 心智圖筆記：國語文～〈認識米老鼠〉加入內容細節

內容全部整理到心智圖之後，接著思考不同類別之間的資訊，彼此是否具有關聯性？如果有的話，根據其因果關係加上單箭頭或雙箭頭的關連線。

最後，在特別重要的地方加上與內容相關的插圖（圖4-12e）。

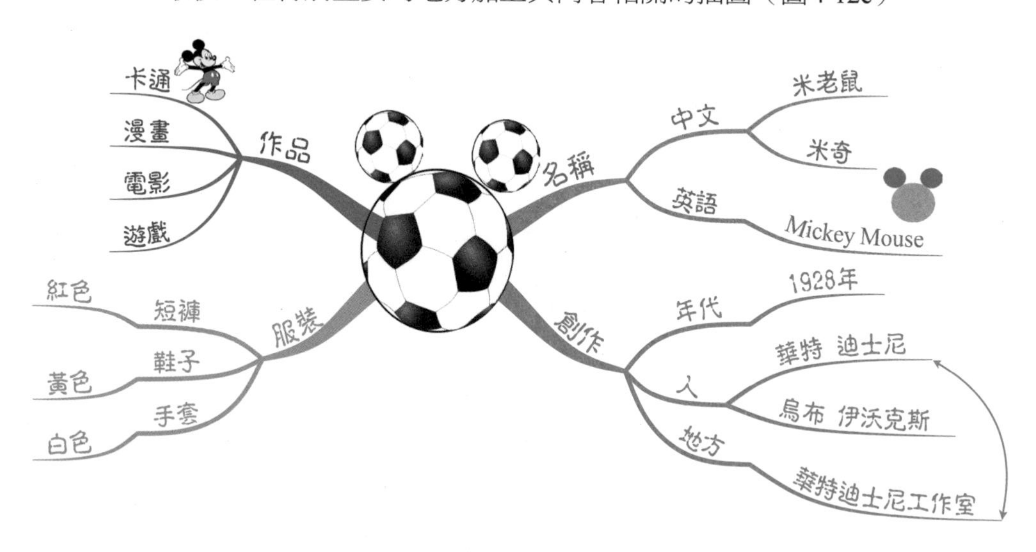

● 圖4-12e 心智圖筆記：國語文～〈認識米老鼠〉完成圖

牛刀小試

對文章筆記的技巧有初步概念之後，接下來就要請大家動手練習了，因為唯有從實作中學習，效果才會好。

請根據〈認識米老鼠〉這篇文章，自己把關鍵字填到圖4-12f。別忘記要依照邏輯分類的原則喔！

認識米老鼠

名稱：這位廣受大小朋友喜愛的卡通人物，中文名稱有米老鼠或米奇，英語名稱是「Mickey Mouse」。

創作：他的誕生年代是在1928年，由華特・迪士尼和烏布・伊沃克斯兩人於華特迪士尼工作室這個地方所創作的。

服裝：米老鼠經典的服裝，通常是穿著紅色短褲、黃色鞋子和白色手套。

作品：米老鼠除了出現在我們熟知的卡通作品之外，也在漫畫、電影及遊戲中出現。

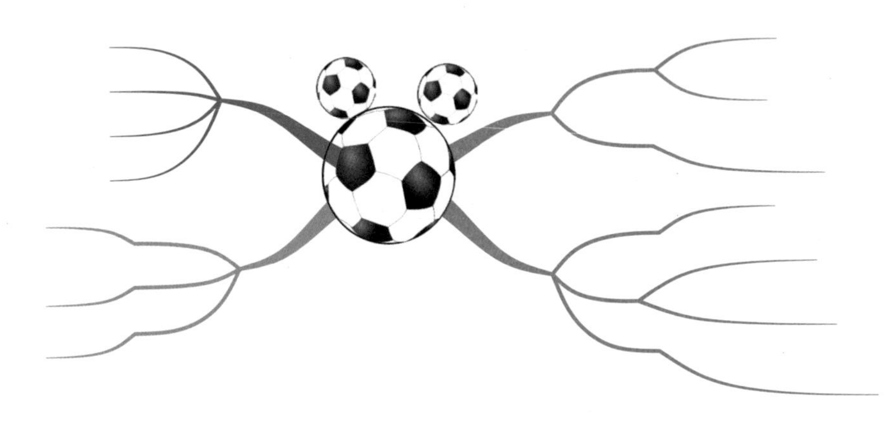

● **圖4-12f** 心智圖筆記：國語文～〈認識米老鼠〉練習圖

國語文：根據段落內容重新定義結構標題

〈舒適的運動鞋〉這篇文章，一眼可以看出分成三大段，但在第一段之前的前言部分也很重要，因此我們將文章分成四大段。

舒適的運動鞋（資料來源／經濟合作發展組織；翻譯／臺南大學）

位於法國里昂的運動醫療中心近十四年來不斷研究年輕運動員和職業運動員的受傷問題。研究結果顯示，最好的醫治方法是預防……和一雙好的運動鞋。

碰撞、摔倒、磨損、扯傷……

在八至十二歲的運動員中，有百分之十八的人曾經弄傷腳後跟。足球員的踝部軟骨是很容易被碰撞的；百分之二十五的職業運動員本身都知道踝部軟骨確實是一個弱點。而膝蓋軟骨的關節亦很容易造成不可挽救的傷害。如果在青少年時期（10-12歲）沒有小心保護，將會導致過早的關節炎。髖關節也不能避免損傷，特別是在運動員疲倦時，他們很容易因碰撞或摔倒，造成骨折。

根據研究，球齡超過十年的足球員在脛骨或腳後跟都會有骨刺，這就是所謂「足球員的腳」。這是由於鞋與鞋底和腳跟的位置不穩固而造成的缺陷。

保護、支持、穩固、緩衝

如果運動鞋太硬，會阻礙活動；如果太柔軟，則會增加撞傷和扭傷的危險。因此，一雙好的運動鞋必須符合以下四個標準：

首先，它必須提供外部保護，抵擋來自足球或其他球員的撞擊，調適凹凸不平的地面。即使是在寒冷的冬天和雨天，也能保持腳部溫暖、乾爽。

另外，它必須能支撐腳部，尤其是腳踝關節，以避免扭傷、腫脹和其他問題，這些問題甚至會影響膝部。

除此之外，它還要提供運動員良好的穩固性，使他們不會在濕地上滑倒或在極乾燥的地上打滑。

最後，它必須能避震，這對於排球員和籃球員尤其重要，因為他們需要不停的跳躍，受傷機會甚高。

保持腳部乾爽

要避免一些輕微但疼痛的毛病，如水泡，甚至是裂傷或是香港腳（真菌感染），運動鞋一定要保持良好的透氣程度，幫助腳汗散發，同時又要防止外界濕氣滲入。運動鞋的理想材質是皮革，因為它可以防水，下雨時不會滲入雨水。

在文章當中，第一段前言部分作者並未給予標題名稱，我們從內容可以歸納出是在說明一項「研究」；第二段「碰撞、摔倒、磨損、扯傷……」似乎不能做為文章大類別的名稱，因為心智圖筆記是以分類的概念展開。但是現在有很多文章的段落名稱，是從該段中萃取幾個較為重要或聳動的關鍵字，因此可根據段落中的內容大意，重新定義為「足球員的腳」；第三段同樣重新命名為「四個標準」，因為這段是在介紹一雙好的運動鞋必須符合的四個標準。

第四段標題「保持腳部乾爽」是合適的，因為內容就是說明保持腳部乾爽的好處，與運動鞋保持乾爽的理想材料。但這篇文章主題是「舒適的運動鞋」，鞋子不會戴在頭上、不會拿在手上，只能穿在腳上，所以省略「腳部」，以「保持乾爽」做為段落名稱。

這篇文章的心智圖筆記整理步驟說明如下：

首先根據文章名稱確定心智圖的中心主題。由於本文除了談運動鞋之外，也提到足球運動員，因此我找了一張踢足球的圖像做為中心主題（圖4-13a），但光是圖像，恐怕日後會忘記這張心智圖主要記錄什麼題目，因此以加上文字的方式呈現。

● 圖4-13a 心智圖筆記：國語文～〈舒適的運動鞋〉中心主題

從四個段落標題：研究、「足球員的腳」、四個標準與保持乾爽，思考它們分別給你什麼感受？用什麼顏色代表比較貼切？例如研究像在霧中行走，必須小心謹慎，因此採用濛濛的灰色；「足球員的腳」就以身體皮膚顏色來代表；藍色有冷靜、思考的意涵，用來代表四個標準；保持乾爽有清新、舒服的感覺，與大自然有相似之處，綠色當然是我的首選。

● 圖4-13b 心智圖筆記：國語文～〈舒適的運動鞋〉展開段落架構

從段落標題，也就是心智圖當中的大類，開始往下延伸內容細節。如果發現內容有分類的概念，但在文章中並未提及，為了幫助提升理解程度，這些類別概念應該加進去心智圖筆記。例如研究的單位、時間、對象與結果顯示。

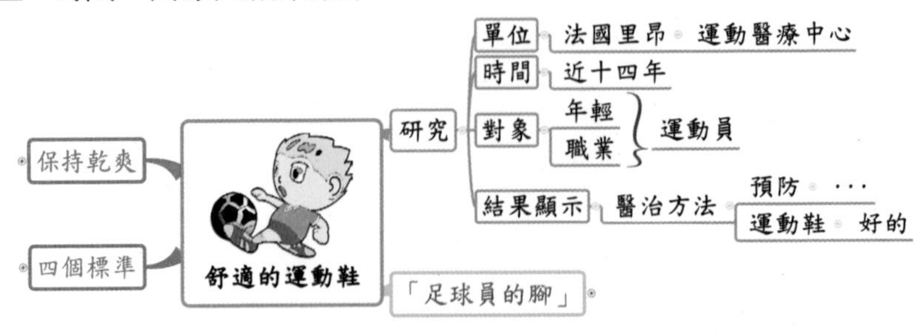

● 圖4-13c 心智圖筆記：國語文～〈舒適的運動鞋〉從段落展開內容細節

最後內容全部完成之後，還是要檢視一下，在不同段落和類別之間是否有哪些概念彼此具有關聯性，如果有的話要加上關連線，例如「好的運動鞋」與「四個標準項目」；在重要概念的關鍵字加上與內容有關的插圖，以達到吸引注意力並強化記憶的效果，例如「良好透氣」。

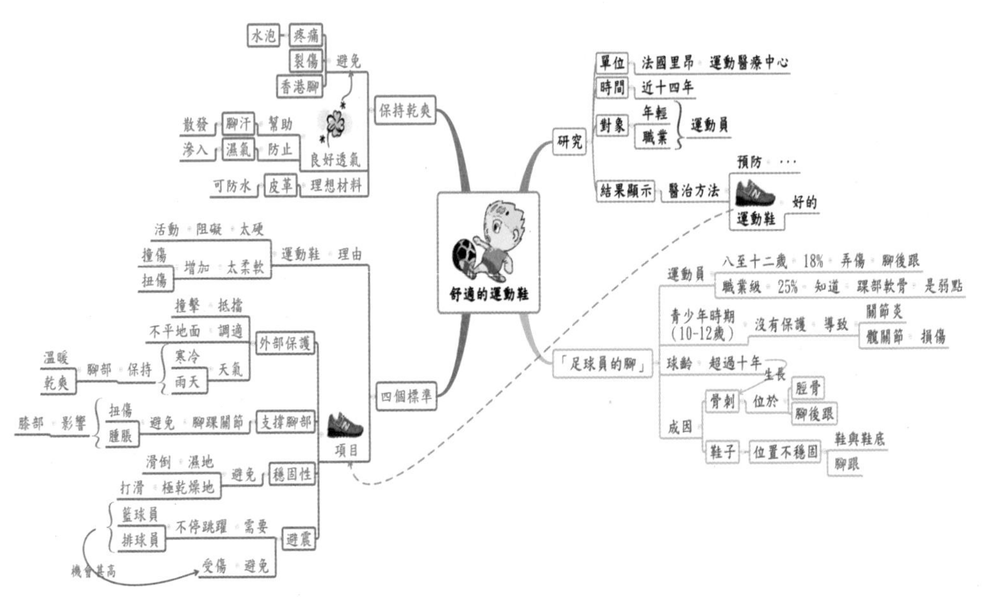

● 圖4-13d 心智圖筆記：國語文～〈舒適的運動鞋〉完成圖

牛刀小試

請練習將〈有機食品〉這篇文章整理成心智圖筆記，並注意段落標題是否貼切，有沒有必要根據文章內容重新予以定義。

有機食品

100%天然

農作物在種植過程中沒有使用農藥（即殺蟲劑、除草劑等）、化學肥料等；以及作物本身沒有經過基因改造，純粹是天然育種、天然環境成長；同時加工過程沒有使用化學添加物。所以不論是有機商家的食品，或家中種植的青菜，以及野外採集的蔬果，只要是100%天然的，都可以稱作有機。

有機認證

以往為了經濟利益，食品都經過基因改造及化學加工，而忽略了對人體及環境的潛在傷害。現在因為對環保及健康飲食的意識漸漸抬頭，在美國、日本以及歐盟，已經有立法嚴格的有機食品認證制度，來把關上市貨品；沒有通過認證而自稱有機上架販售，即是違法。

永續共生

當前，有機是一個概念與潮流，除了訴求是天然與健康的飲食之外，還要求不破壞自然環境（農地的土壤與水源），注重生態，以達成人類與自然的永續共生為原則。

〔參考範例在第220頁〕

牛刀小試

接下來請從〈降水〉這篇文章，試著練習從每一段的文章內容中，歸納或找出可以代表這一段內容的標題，做為心智圖筆記的主要類別。

降水

天上雲中的水分以液態或固態的形式降落到地面的現象稱之為降水，包括了雨、雪、冰雹等。

形成降水的條件必須要有充足的水氣、水氣上升開始冷卻凝結，以及要有較多的凝結核。

世界各地降水的分布類型也會因不同的空間、季節與月份，產生很大的變化。在空間分布上，由於赤道地區終年受熱，氣流上升，降水多；兩極地區，終年寒冷，氣流下沉，降水少。根據季節變化的規律，可分為夏雨型與冬雨型；根據各月份總降水量，可區分為少雨型、多雨型與濕潤型。

〔參考範例在第220頁〕

案例分享

● 圖4-13g 心智圖筆記案例分享：國語文～〈肥胖的原因〉

圖4-13g是輔仁大學林意澄同學整理〈肥胖的原因〉這篇文章的心智圖筆記。

{ 優　點 }

從中心主題的圖像，很容易就讓人對肥胖產生強烈的印象；邏輯分類方面，在「心理因素」分成**暴飲**、**暴食**，「生理因素」分成**疾病**、**藥物**，「社會環境」分成**生活型態**、**飲食行為**，「飲食行為」的選擇再分成**首先**、**其次**等。

{ 這樣調可以更好 }

在第一階的主要分類上，我們看到分成五個主要概念，仔細分析其意涵，**心理因素**、**生理因素**、**社會環境**與**先天遺傳**這四類是談肥胖的「原因」；但在**正常體重**這一類別的內容，不是解釋造成肥胖的原因，而是在說明如何維持正常體重。因此，若能將中心主題的題目定為「肥胖」，然後先展開兩大類：**造成原因**與**解決方案**，會更容易正確理解文章內容。同時內容細節部分，在重要地方加上能貼切表達文字內容的插圖，可以強調重點所在與幫助聯想記憶。

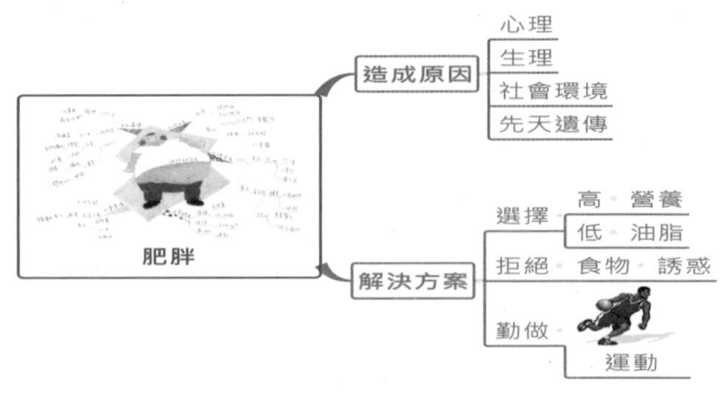

● 圖4-13h 心智圖筆記案例分享：國語文～〈肥胖的原因〉修正結構

國語文：加入必要的邏輯結構與修辭說明

為了提升對文章內容的理解與欣賞，有必要在心智圖筆記中，先解構分析幾個合乎題旨的邏輯架構，並加上說明文章裡面使用到的修辭技巧，這樣的心智圖筆記不僅有助於釐清思路，對於作文的仿作，更能顯現它的功能與價值。以下以散文名家朱自清的〈春〉為例，逐步為大家做說明。

春（朱自清）

盼望著，盼望著，東風來了，春天的腳步近了。

一切都像剛睡醒的樣子，欣欣然張開了眼。山朗潤起來了，水長起來了，太陽的臉紅起來了。

小草偷偷地從土裡鑽出來，嫩嫩的、綠綠的。園子裡、田野裡，瞧去一大片一大片滿是的。坐著，躺著，打兩個滾，踢幾腳球，賽幾趟跑，捉幾回迷藏。風輕悄悄的，草綿軟軟的。

桃樹、杏樹、梨樹，你不讓我，我不讓你，都開滿了花趕趟兒。紅的像火，粉的像霞，白的像雪。花裡帶著甜味兒；閉了眼，樹上彷彿已經滿是桃兒、杏兒、梨兒！花下成千成百的蜜蜂嗡嗡地鬧著，大小的蝴蝶飛來飛去，野花遍地是：雜樣兒，有名字的、沒名字的；散在草叢裡，像眼睛、像星星，還眨呀眨的。

「吹面不寒楊柳風」，不錯的，像母親的手撫摸著你。風裡帶來些新翻泥土的氣息，混著青草味兒，還有各種花的香，都在微微潤濕的空氣裡醞釀。鳥兒將窠巢安在繁花嫩葉當中，高興起來了，呼朋引伴地賣弄清脆的喉嚨，唱出宛轉的曲子，與輕風流水應和著。牛背上牧童的短笛，這時候也成天嘹亮地響著。

雨是最尋常的，一下就是三兩天。可別惱！看，像牛毛，像花針，像細絲，密密地斜織著，人家屋頂上全籠著一層薄煙。樹葉兒卻綠得發亮，小草兒也青得逼你的眼。傍晚時候，上燈了，一點點黃暈的光烘托出一片安靜而和平的夜。在鄉下，小路上、石橋邊，有撐起傘慢慢走著的人；還有田裡工作的農夫，披著蓑，戴著笠。他們的草屋，稀稀疏疏地在雨裡靜默著。

天上風箏漸漸多了，地上孩子也多了。城裡鄉下，家家戶戶，老老小小，也趕趟兒似的，一個個都出來了。舒活舒活筋骨，抖擻抖擻精神，各做各的一份事兒去。「一年之計在於春」，剛起頭兒，有的是工夫，有的是希望。

春天，像剛落地的娃娃，從頭到腳都是新的，它生長著。

春天，像小姑娘，花枝招展的，笑著，走著。

春天，像健壯的青年，有鐵一般的胳膊和腰腳，它領著我們上前去。

首先將文章大致閱讀一次，對整篇文章先有個整體概念，根據感覺選擇適當的圖像做為中心主題（圖4-14a）。

● 圖4-14a 心智圖筆記：散文～〈春〉中心主題

接著再細讀一、二次，分析文章的起承轉合結構中，分別涵蓋哪幾個段落。若你還是個學生，一時無法掌握解構文章的技巧，可以從上課時老師的講解或參考書的提示來進行分類。

圖4-14b可以看出我把這篇文章解構分成**盼春**、**尋春**、**繪春**與**頌春**，在「繪春」中可分為**大自然**與**人們**，「大自然」下有**春草**、**春花**、**春風**、**春雨**，「人們」則是**迎春**的畫面。

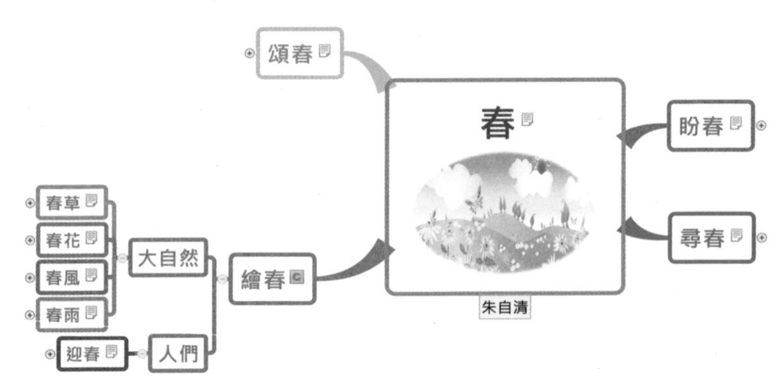

● 圖4-14b 心智圖筆記：散文～〈春〉釐清文章的思路並分類解構

除了解構分析成幾個合乎題旨的邏輯架構之外，在心智圖筆記中也可以加入補充說明幫助理解，例如圖4-14c中的**作者心情**。這些非原本文章的文字，可以採用不同的顏色與外型樣式來做區隔。從圖4-14c可以看出，增加的邏輯結構與補充說明使用彩色字，外型選擇圓角方形；文章中的文字採用黑色字，線條則是底線樣式。

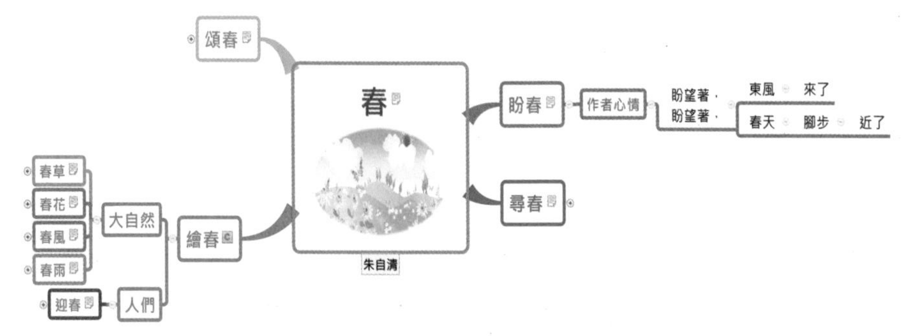

● 圖4-14c 心智圖筆記：散文～〈春〉增加的邏輯結構與補充說明

若文章中的關鍵字有特殊意義，需要被強調，在心智圖上可以採用不同字體、樣式等達到凸顯效果。例如圖4-14d，「尋春」的山、水、太陽；「頌春」的娃娃、小姑娘與青年，採用粗體字型，在視覺上可以達到強化的效果。

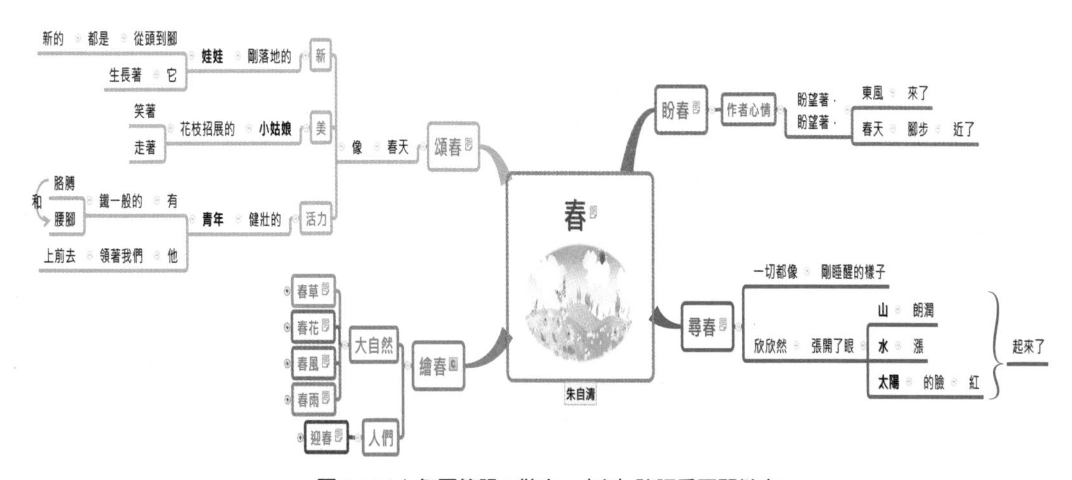

● 圖4-14d 心智圖筆記：散文～〈春〉強調重要關鍵字

為了幫助我們在賞析文章的同時，能對作者採用的寫作修辭技巧有所領悟，可以在心智圖的樹狀結構之後，加上摘要的括弧符號「 }」，並選用不同顏色來說明這一段作者使用的修辭類型。圖4-14e以灰色括弧符號說明「尋春」採用**擬人**，「頌春」採用**比喻**、**排比**。

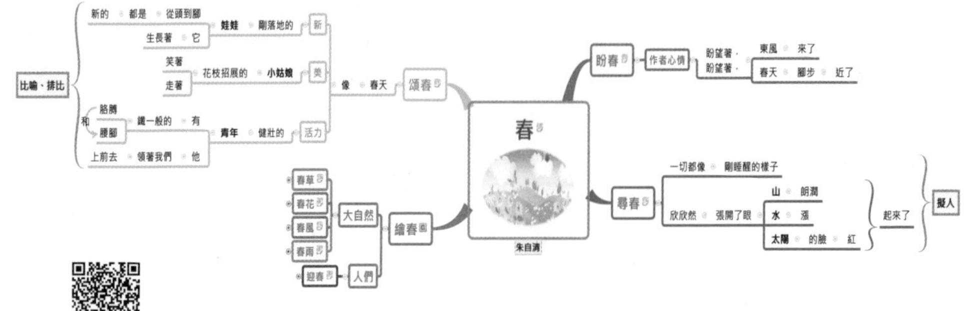

• 圖4-14e 心智圖筆記：散文～〈春〉說明使用的修辭類型

如果你有認真比對〈春〉的內容與我整理的心智圖筆記，一定會發現怎麼少了「繪春」的部分。這是由於「繪春」在這篇文章中分量最多，為了避免一張心智圖塞入太多內容，我選擇以「繪春」為主題，另建立一張心智圖筆記，並把「人們」、「迎春」的內容整理在圖4-14f這張心智圖。同時將文章中引用經典的地方「一年之計在於春」，以黃色標籤方式說明。

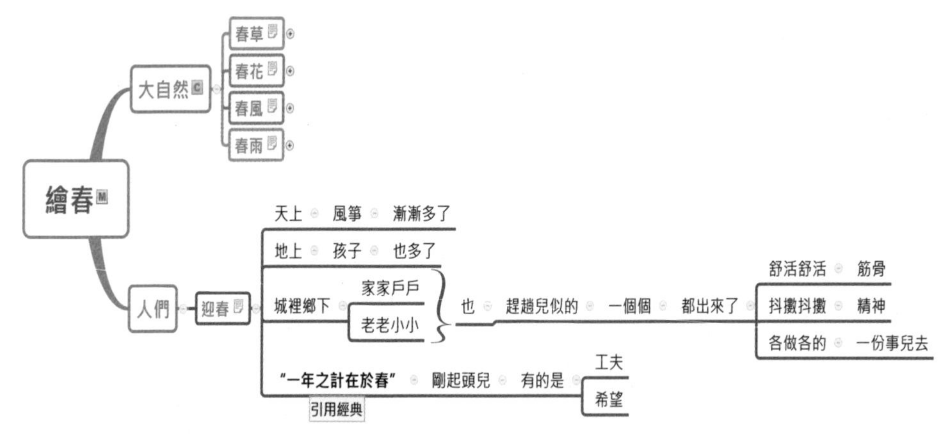

• 圖4-14f 心智圖筆記：散文～〈春〉以標籤說明特殊情況

同樣的，「繪春」中的「大自然」因為內容非常豐富，也另建立一張心智圖說明春草、春花、春風與春雨。從圖4-14g可以看到，透過〈春〉這篇散文，我示範了很多想要教給大家的筆記技巧。

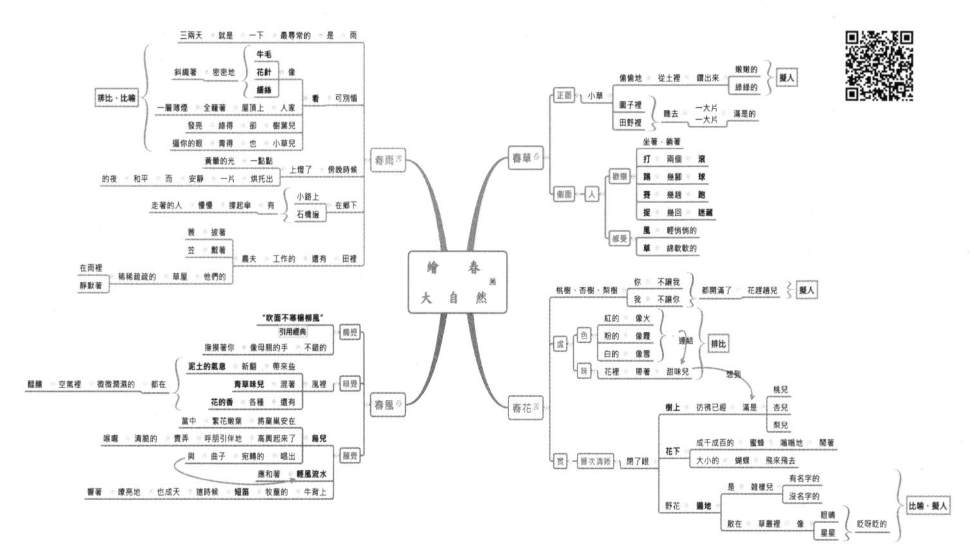

● 圖4-14g 心智圖筆記：散文～〈春〉另一張心智圖呈現更豐富的內容

心智圖筆記：學習英文

常碰到學生問我：「英文要怎麼整理成心智圖筆記？」

想簡單一點，英文就是英國人、美國人的國語，將一篇英文文章整理成心智圖筆記，技巧上與中文相同，只是要稍微注意時態、主動與被動等變化。

對大部分人而言，反倒是如何應用心智圖筆記學習英文，才是真正關心的重點，例如理解文法或記憶單字。圖4-15a展開了英文八大詞類的學習大綱架構，從這張心智圖不僅可以掌握學習英文詞類必須涵蓋的範圍，也可檢視自己對哪個部分還不是很熟悉。看著這張大綱架構心智圖，你能說出每一個細項內容嗎？如果不能，就有必要針對某一個詞類另外建立一張心智圖，整理出更詳細的內容，例如圖4-15b。

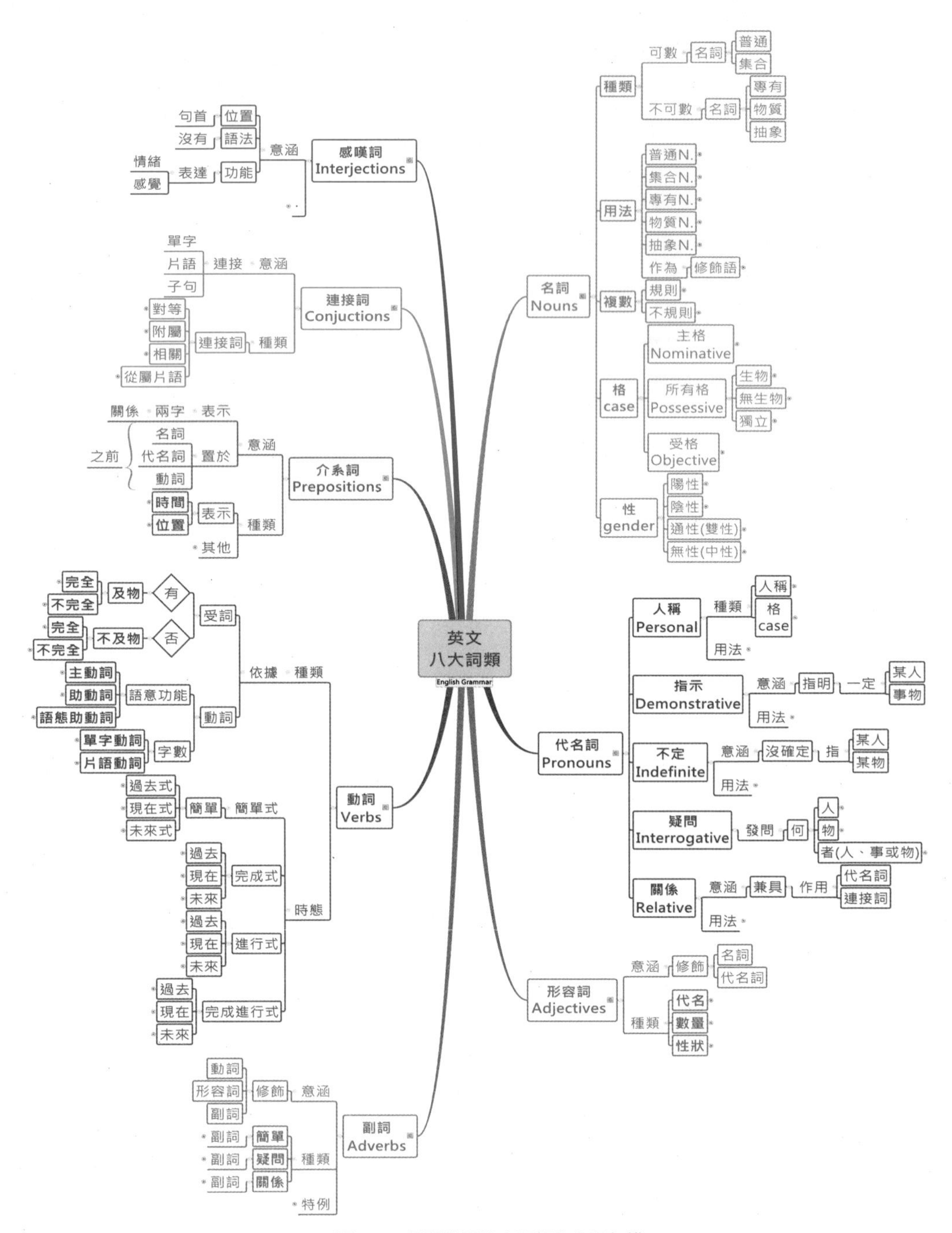

● 圖4-15a 展開學習英文詞類的大綱架構

在圖4-15b的心智圖筆記中，採用黃色標籤方式說明例句，幫助我們更容易理解詞類的用法。

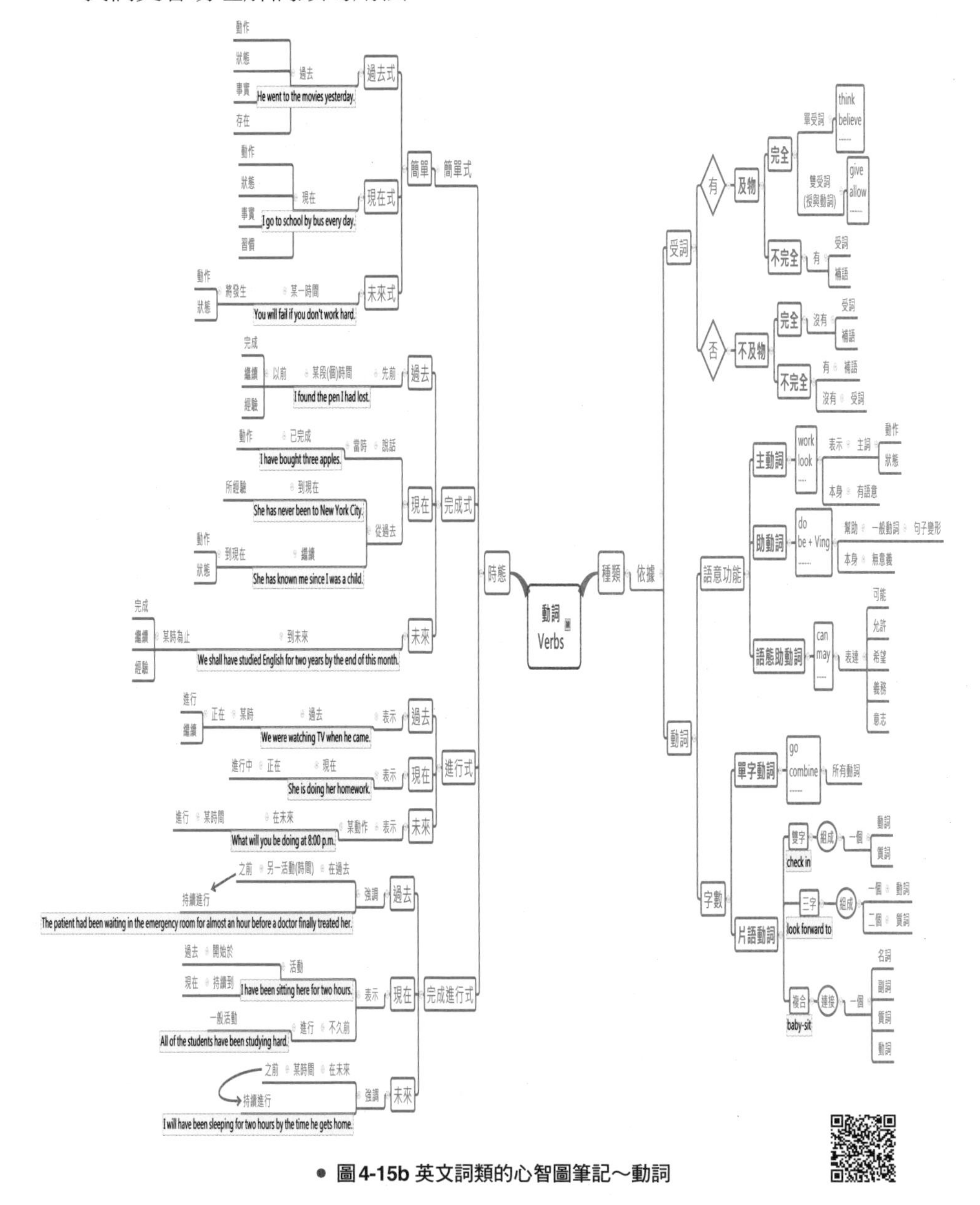

● 圖4-15b 英文詞類的心智圖筆記～動詞

牛刀小試

請你找一本英文文法書，試著將課文中有關於「名詞」（或其他詞類）的說明內容，以圖4-15c為參考架構，整理成心智圖筆記。

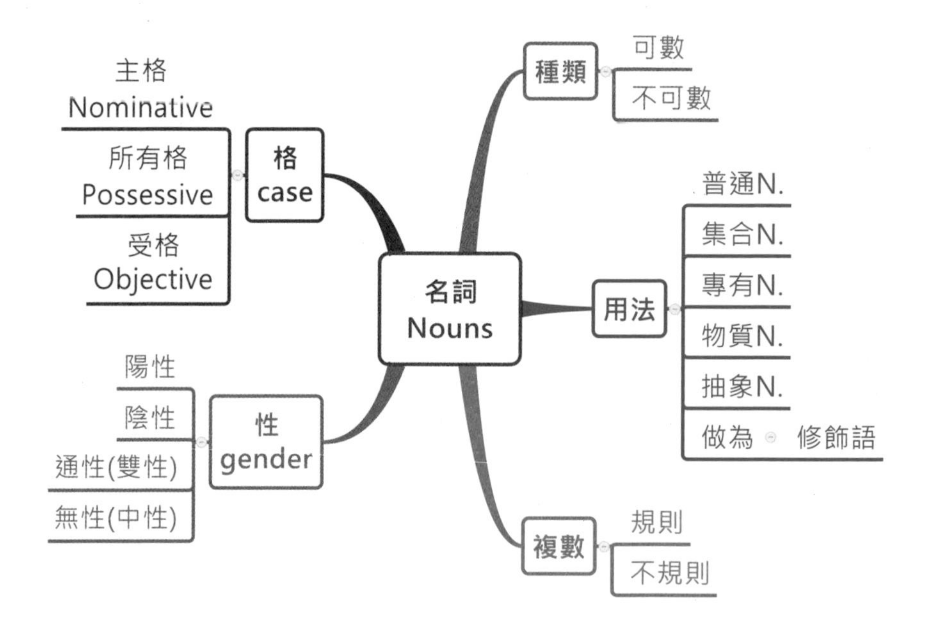

● 圖4-15c 英文詞類的心智圖筆記～自己動動手～名詞

〔參考範例在第221頁〕

案例分享

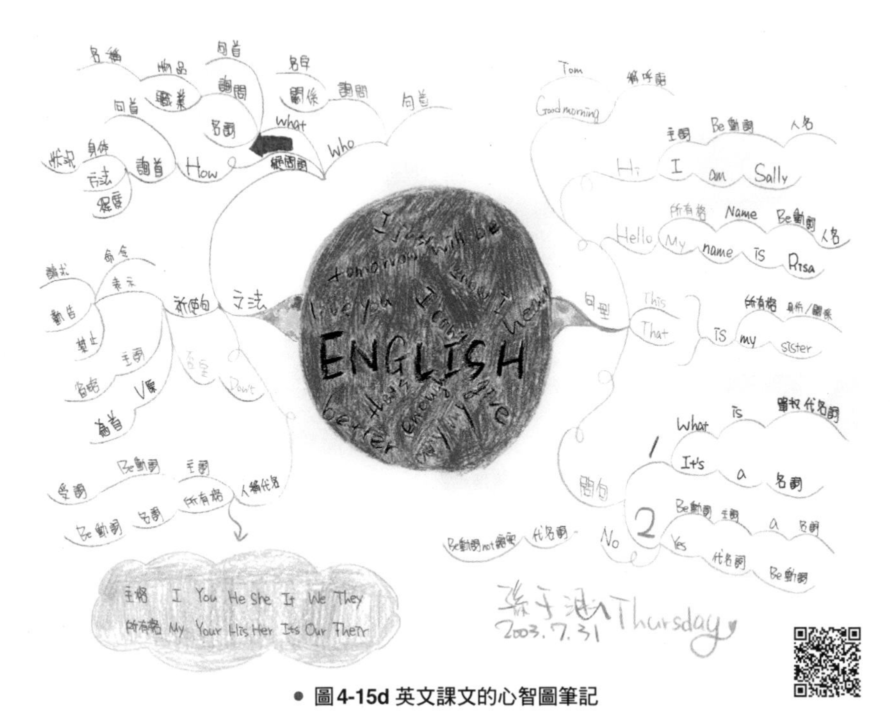

● 圖4-15d 英文課文的心智圖筆記

圖4-15d是金華國中孫于涵同學把英文課文的學習重點整理成心智圖筆記。如果英文課文的心智圖筆記，同樣依照文章內容結構去分類，那跟國語文不就是一樣了嗎？只是用英文書寫而已。在英文課堂上，除了認識新單字之外，也學習文法、句型，這才是我們要整理成心智圖筆記的重點。

{ 優　點 }

在繪圖技巧上，孫同學將需要拉比較長的那幾條線，以有機（Organic）的方式展現，讓整張心智圖的線條看起來不會生硬；在「句型」這一類的內容呈現上，採用相互對應，並以文字顏色作對照，閱讀時更清晰易懂，對記憶內容也會有幫助。

{這樣調可以更好}

中心主題圖像雖然有「ENGLISH」字樣，可以知道是英文課文的筆記，但看不出這一課主題是什麼？主要學習內容是什麼？建議應以能代表這一課學習重點的圖像為佳。

在內容方面，若能將相同或重複出現的概念予以統整，不僅更簡潔，對理解的幫助也會更好。例如「文法」這一大類之下的「疑問句」，在「who」、「what」與「how」之下都說明位置是在句首，將這部分整合在一起會更好。

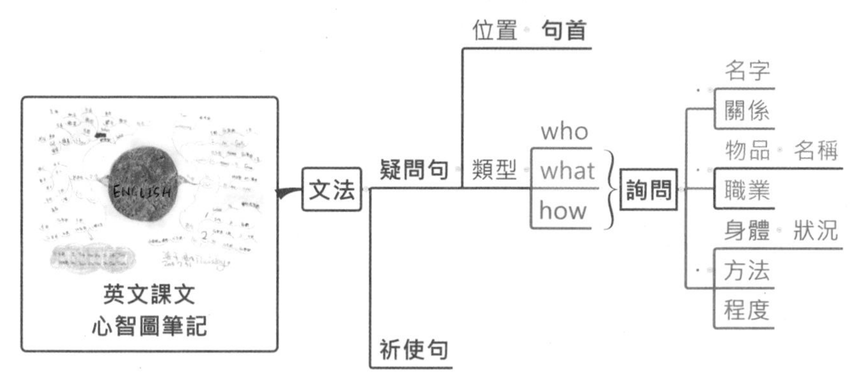

● 圖4-15e 英文課文心智圖筆記～修正結構

心智圖筆記：數學

數學這個科目，有許多概念本身就較為抽象，加上使用不少字母符號代表特定意義，如果不能理解文字的描述，只是死背公式，學習起來不僅會很痛苦，也無法奠定往後應用領域，例如物理、化學、經濟、會計等學習基礎。

因此，若能把數學課本中敘述性的內容整理成具有分類結構、因果關係，並且加上圖示的心智圖筆記，對於理解與記憶將會有很大的幫助。透過心智圖筆記來釐清與理解數學的觀念，是提升學習興趣與成效的秘密武器。

以下舉個例子，提供大家做為整理數學科筆記的參考。

臺北市新湖國小的王心怡老師為了讓學生了解數學到底是在學些什麼，特別整理了一張介紹「數學內容」的心智圖。從這張結構清晰、內容簡明扼要的心智圖筆記，學生很容易就能理解原來數學課要學些什麼，我們現在正在學什麼。這張心智圖具有知識地圖的概念與功能，很適合做為小學高年級的輔助教學與學習工具。

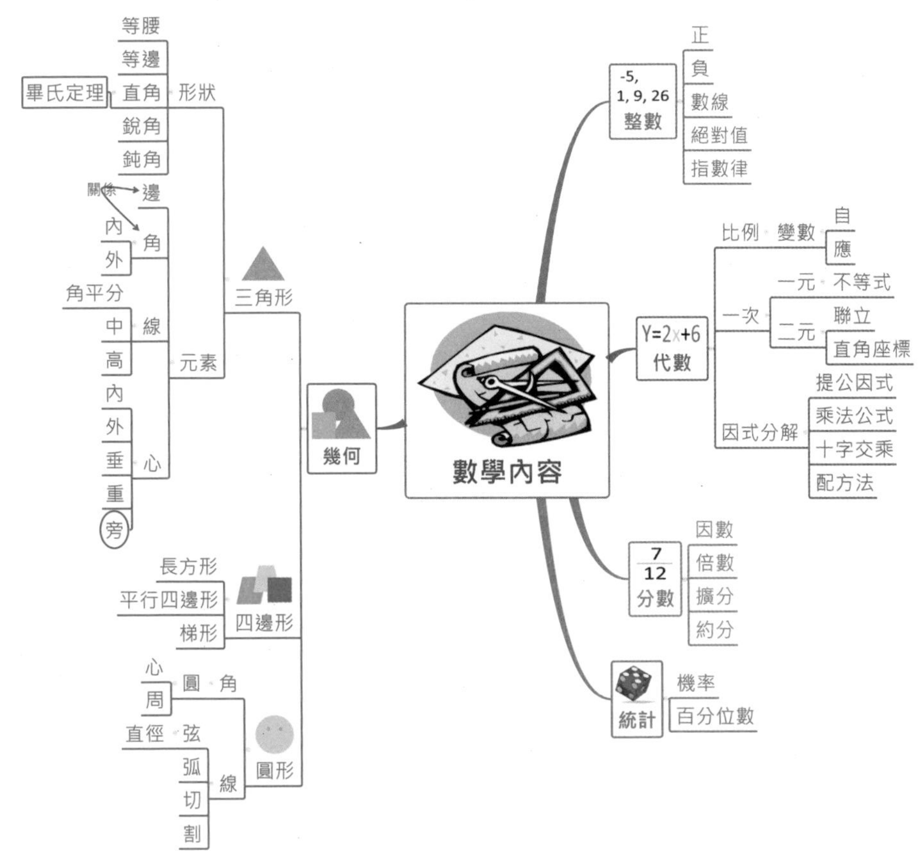

● 圖4-16a 心智圖筆記：數學～介紹數學內容

有了宏觀整個數學範圍的心智圖筆記之後，接下來的學習就要針對特定單元的內容，進一步整理出描述細節的心智圖，這個過程就是「先見林，再見樹」，達到見林也見樹的學習目標。例如圖4-16b是從圖4-16a「幾何」之下「三角形」的線與心這個單元所整理出來的心智圖筆記。

三角形的「三線」與「四心」

三角形的「三線」指的是角平分線、中線與高。角平分線是從頂點延伸出平分這個角，並與對邊相交的線段；中線是連結一個頂點與對邊中點的線段；三角形的高，指的是從頂點連結到對邊做出垂直的線段。

常見的三角形「四心」是垂心、重心、內心與外心，另外還有一個比較少見的是旁心。三角形的三條高或高的延長線所相交的點，稱為垂心；三角形三條中線所相交的點是重心；內心是三角形三條角平分線的交點，與三角形各邊的距離都相等，是三角形內切圓的圓心；外心是三角形外切圓的圓心，也是三角形三個邊的三條中垂線交點，與三角形各個頂點的距離都相等。另外還有一個不太常用的旁心，它是三角形中一個內角平分線和另外兩個外角平分線所相交的點，這個點也是三角形旁切圓的圓心，因此稱之為旁心。

〈三角形的「三線」與「四心」〉主要是介紹數學的三角形相關概念。文章分成「三線」與「四心」兩個部分，因此在心智圖筆記當中也區分成兩大樹狀結構，並在說明「三線」的地方補充「AD」兩個字母，意思是三個圖示中的線段AD就是要說明的角平分線、中線與高。

「四心」中的垂心、重心、內心與外心是主要部分，在色彩運用上與另外一個比較少見的旁心有所區別，可以直接從視覺上就辨別出差異。

除此之外，由於這篇**文章內容滿多抽象的概念，在整理成自己的心智圖筆記時，除了擷取文中的關鍵字，也應補充說明意涵的圖示與必要解說，以增進理解的程度。**

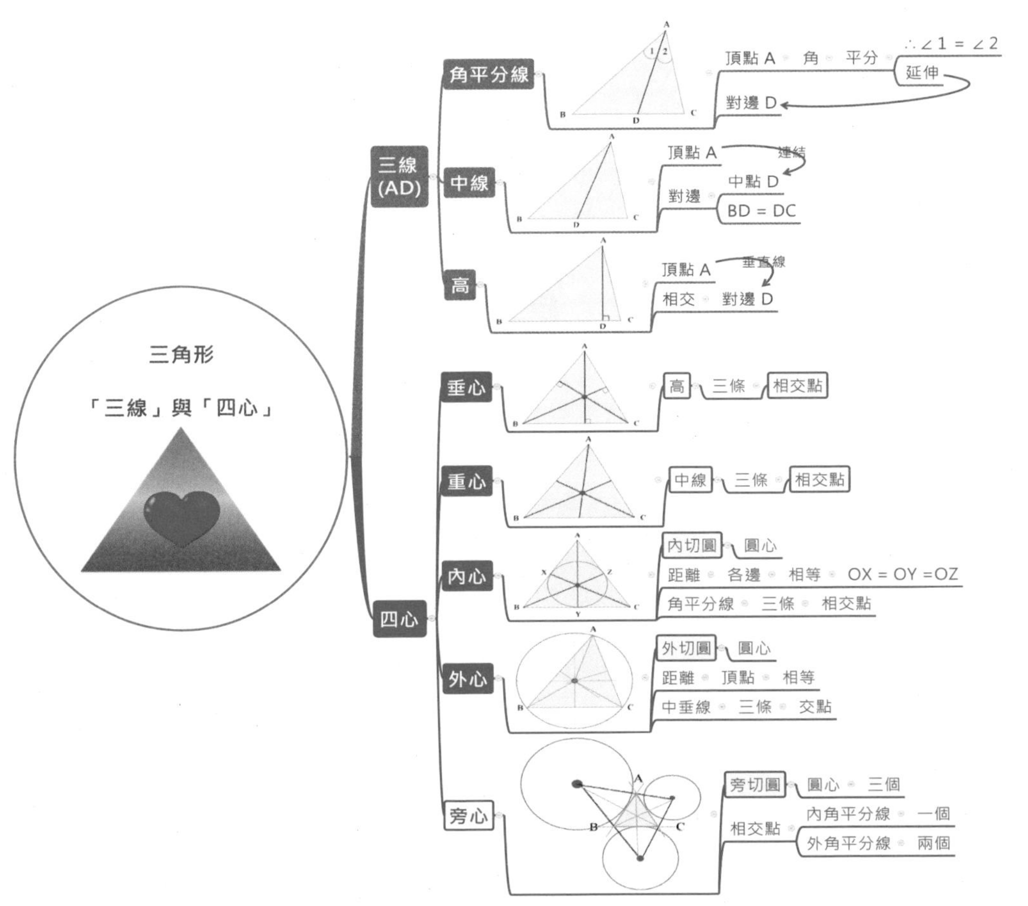

● 圖4-16b 心智圖筆記：數學～三角形的「三線」與「四心」

心智圖筆記：自然科學

自然或物理、化學課本當中，內容如果屬於一般描述性、比較性、時序性或因果性，其心智圖筆記技巧基本上跟國語文很相似，例如圖4-17a是說明「熱的保溫與散熱」，從這張心智圖就可以很清楚知道「熱的保溫與散熱」的相關知識。

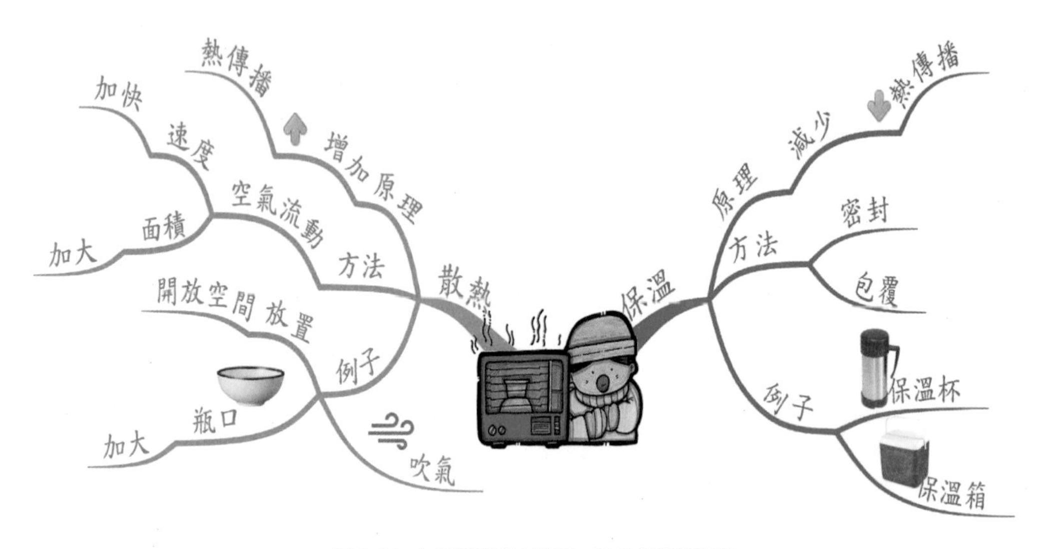

● 圖4-17a 心智圖筆記：物理～熱的保溫與散熱

但若牽扯到較為抽象的概念，心智圖筆記中如果只以文字說明，恐怕不易了解，因此必須加上圖示，讓觀念能夠更加釐清。做法與圖4-16b的數學心智圖筆記相同。

圖4-17b是「槓桿類型」的心智圖筆記，在這張心智圖筆記當中，針對每一個概念均以圖示來呈現，讓我們能夠清楚了解原本很抽象的概念，除了「動力臂」與「阻力臂」之外，也能釐清力的大小、力臂的長短與省力、費力之間的關係。

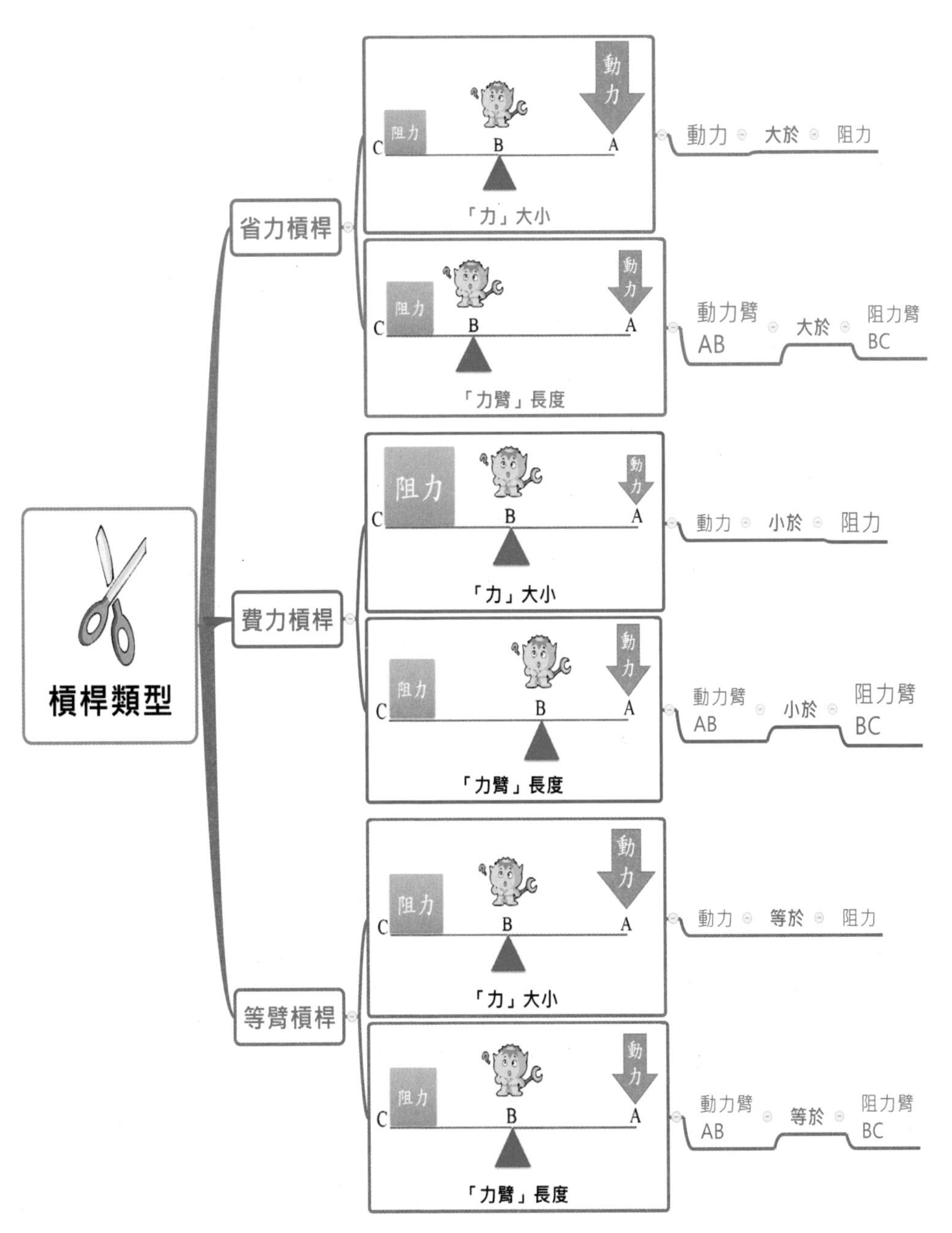

● 圖4-17b 心智圖筆記：物理～「槓桿類型」

案例分享

● 圖4-18 心智圖筆記：自然與生活科技～「酸鹼值」

學完一個單元之後，問孩子們懂了嗎？得到答案大部分是「懂了！」但是，是真的理解課文內容，還是似懂非懂？讓孩子用心智圖來整理學習筆記，就可以看出學習的盲點或問題所在。

圖4-18這張心智圖是一位小學五年級的小朋友，放學之後將當天學校老師所教的課文內容，用心智圖整理出來的讀書筆記。

這位小朋友是我們兒童班結業的學生，對心智圖法的原則是純熟的，所以不會有畫錯的情形產生。但仔細看心智圖左上角，記錄「酸鹼混合」的內容好像有誤，是畫錯了嗎？當然不是，而是這位學生沒有真正搞懂課文的意思。

課文內容是說明在酸性、鹼性混合水溶液中，加入鹼性的小蘇打水，或加入酸性的醋，它們的變化過程。但這位同學把課文中「酸性→中性→鹼性」誤以為是「酸性＋中性＝鹼性」。所以孩子是不是真的習得課文的真義，邏輯是否正確、是否搞混位階概念與因果關係，用心智圖來呈現他所學習的認知，答案立刻揭曉。

第四節　準備考試的心智圖筆記

準備國家考試、職業證照或研究所考試時，由於考科較多，每一科目內容又包山包海，讓考生準備起來既辛苦又痛苦。其實，準備考試不可能不努力就輕鬆過關，但過程卻是可以不痛苦，先決條件就是掌握正確、有效的讀書方法。

考試的型態可分為紙筆測驗與實作，紙筆測驗是評量考生的認知能力，題型區分為選擇題型與補充題型（申論寫作題）；實作評量適用於評量情意與動作技能的能力，形式有操作型與檔案型。

在認知目標層次的分類上，從低階目標到高階目標，早期的分類項目依序是知識、理解、應用、分析、綜合與評鑑；到二十一世紀初期，由於重視學習時的認知歷程，除了將綜合與評鑑合併為評鑑之外，增加創作為最高階的目標。因此，當今教育目標在認知層次的分類依序是：知識記憶、內容了解、生活應用、進行分析、（綜合）評鑑與知識創作。

了解認知領域的目標層次分類之後，我們可以發現選擇題型偏向評量低階的知識記憶與理解，申論寫作題型則著重高階的內容了解、生活應用、進行分析、（綜合）評鑑等項目，甚至是知識的創作。

掌握了紙筆測驗的目標層次，我們就可以很清楚知道，針對某考科的題型（選擇題或申論寫作），考前準備是要狂練考古題、強記硬背課本重點，或是要深入理解內容意涵、懂得如何應用於生活、分析不同觀點、評鑑優劣等；在考試應答時，申論寫作題就不應該只是寫出題目要問的標準答案，而是在前言部分要能夠分析現況、指出問題，正文部分要統整不同觀點、分析優缺與實務應用，最後結語部分不僅要做出結論，更要能回應到前言所指出的現況或問題，並提出相關的建議。

2015年同時通過公務員測量製圖類科高等考試與普通考試的汪姓考生，透過聯合報說明她上榜的秘訣，除了狂練考古題之外，就是以心智圖法來作筆記跟記憶重點。她向記者表示，心智圖筆記的好處是可以掌握是否念到重點，以及記錄還有哪些地方需要加強，也就是我們所謂聰明學習（Learn Smart）的讀書技巧。

準備考試的知識地圖

要如何聰明學習呢？相信這才是大家真正關心的重點。

根據我自己這二十幾年來應用心智圖法通過國家考試、研究所考試，以及輔導許多同學金榜題名的經驗，歸納出一種超高效的心智圖學習方法～「知識地圖應考策略」（KMES，Knowledge Mapping Exam. Strategy）。這是一種「見林也見樹」的學習模式，讓我們不僅可以從巨觀的視野了解考科範圍，對該科內容有整體的熟悉度，也能從分析歷屆考題出現的微觀角度，掌握考試的重點章節、主題所在，以及出現的頻率。

透過「知識地圖應考策略」，可以清楚知道哪些章節需要努力下功夫，哪些地方只要有個基本概念即可，把寶貴的讀書時間放在最需要加強的地方、可以搶分的章節，使準備考試的過程，雖然有點辛苦，但不痛苦，最後還能考出好成績，嘗到甜美的成果。

以下說明「知識地圖應考策略」的基本步驟：

一、建構巨觀考科範圍

針對考試科目選擇一本該領域大師級專家的著作來做為藍圖，根據「章」、「節」、「段落標題」等分類層次建構出巨觀考科範圍的心智圖，並在「節」的地方標上頁碼，方便接下來歸納考古題時，可以很快查閱確認內容是否相符。P.128 圖 4-19a 是以千華數位文化所出版陳金城老師的《企業管理》為例，為大家做示範。由於版面限制，我雖然把所有的章節都列出來，但在「段落標題」部分只示範「管理理論」這個章節。

二、標示微觀考古題趨勢重點

接下來把歷屆考古題出現在書中哪個小節或段落，除了標示年份之外，並以不同的文字顏色來呈現，讓我們可以更清楚看出考古題的焦點在哪裡。P.129 圖 4-19b 是以「企業機能」中的「行銷組合」這個章節為中心主題，所展開的「微觀考古題趨勢重點」心智圖筆記。採用中華郵政公司營運職甄試考古題。由於中華郵政自 101 年起改由金融研訓院承辦招考，因此僅有最近三次（101, 102, 104）的考古題，未來還可以繼續補充，累積越多年，更能窺知考試的命題趨勢。一般國家公務員的考試，基本上最少 5 年，最好是能整理 10 年內的考古題為佳。

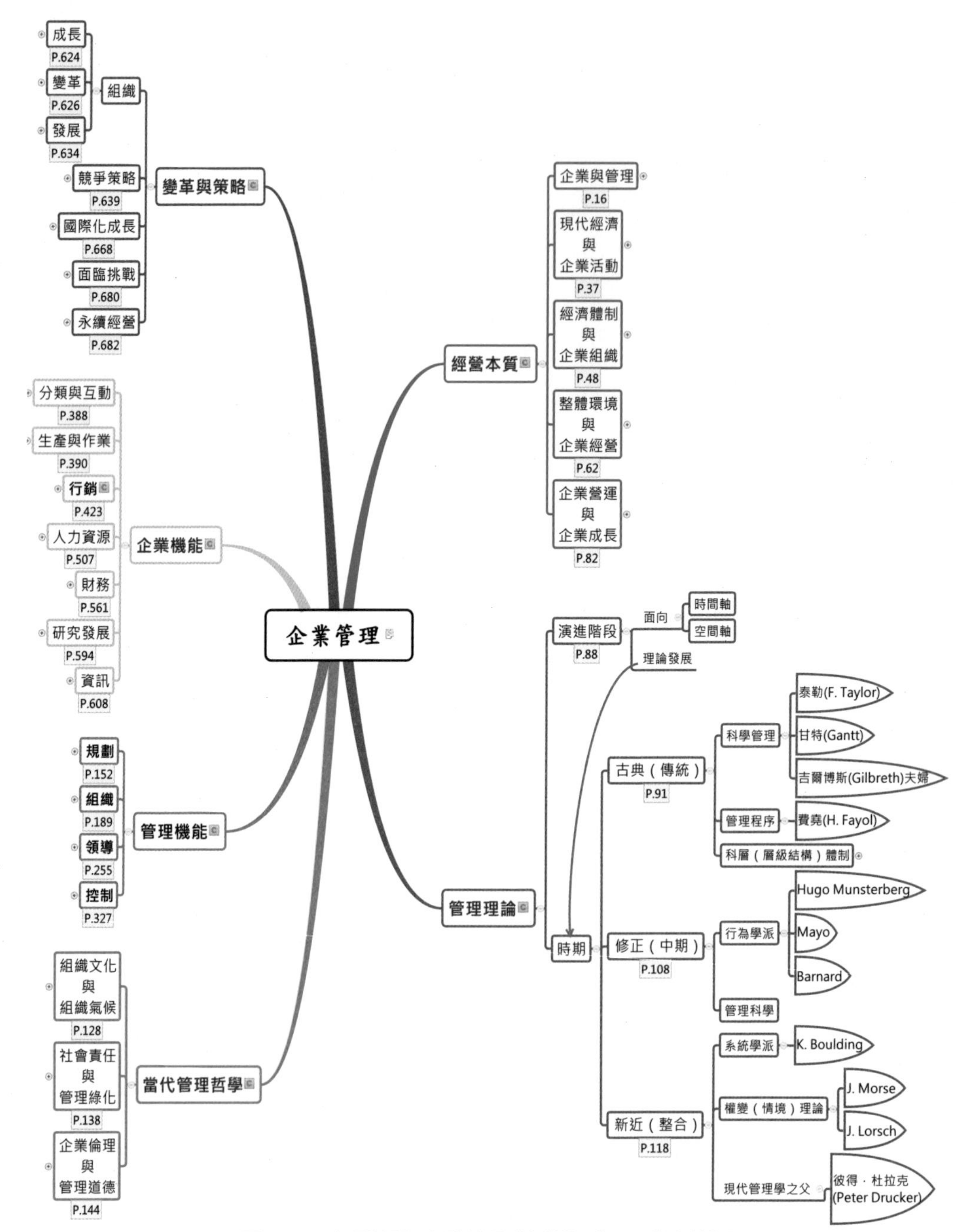

● 圖 4-19a 心智圖筆記：知識地圖《企業管理》～巨觀考科範圍

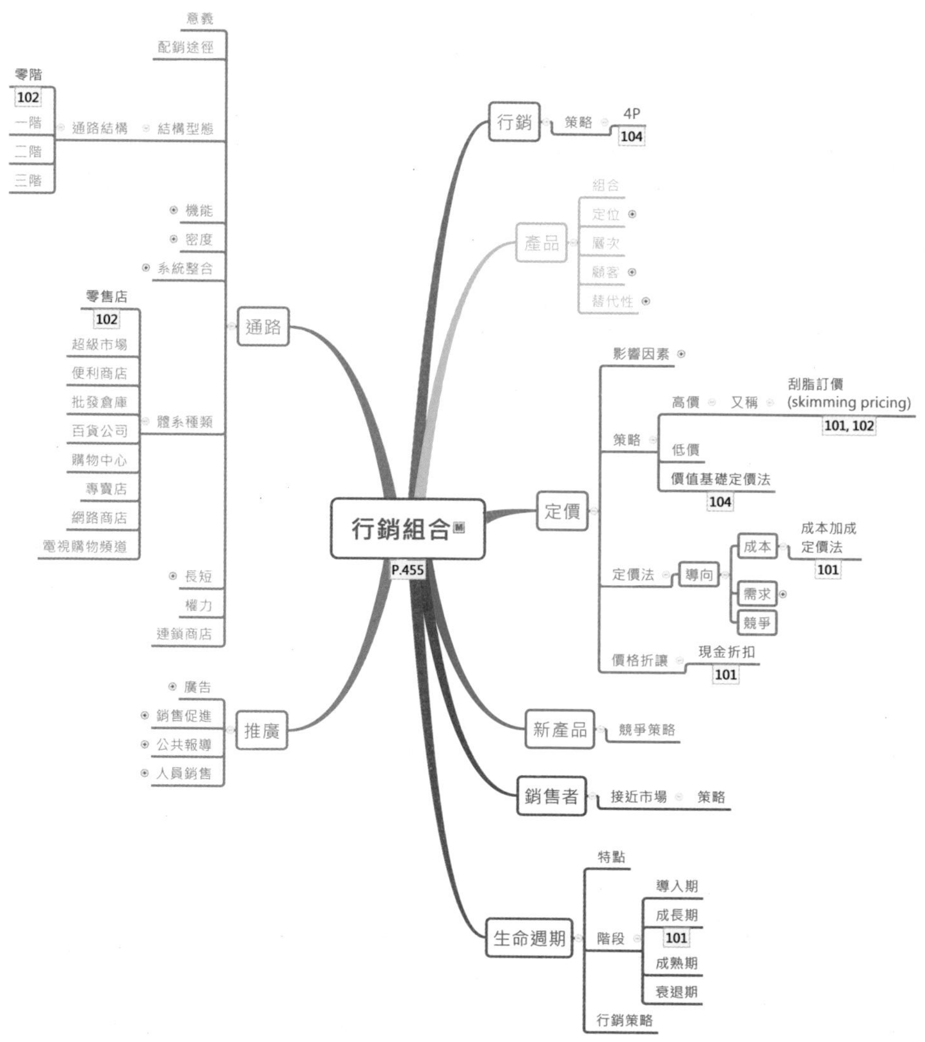

● **圖4-19b 心智圖筆記：知識地圖《企業管理》～微觀考古題趨勢重點**

從圖4-19b可以看出在「行銷組合」中，「定價」這個單元每次考試都一定會考，必須精熟；「行銷策略」、「生命週期」與「通路」各有一年出現過考題，不能忽視；其他單元則尚未考過，但若與最近的時事相關，也要注意。有了這張全方位的知識地圖之後，下個步驟就是將出現考古題的單元，繼續以心智圖將內容整理出來。

三、整理單元內容

為什麼要涵蓋整個單元，不是只整理考古題的題目內容就好？這是因為考過的題目雖然不會再考一樣的，但極有可能會考同一單元其他內容或相關的概念，因此我們有必要將過去考古題關注的單元確實理解並記憶。圖4-19c是「產品生命週期」這個單元的心智圖筆記，從圖中可以看到101年曾經考過「階段」中有關「成長期」的意涵，表示命題老師對於產品生命週期這個單元是重視的，但其中的「特點」或「行銷策略」尚未出現在考題當中，這是考生不能掉以輕心的地方。

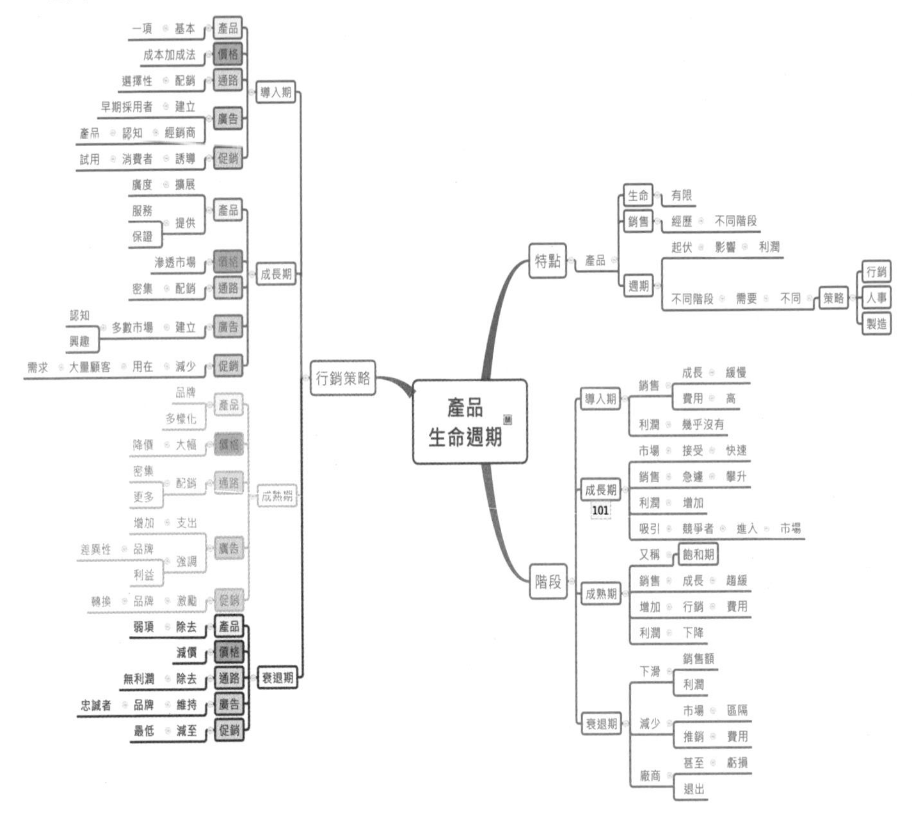

● 圖4-19c 心智圖筆記：知識地圖《企業管理》～單元內容整理

手繪心智圖強化記憶效果

當我們以電腦軟體繪製心智圖整理讀書筆記之後，大多數的課文內容經由解構、再建構的深度思考過程，不僅能達到理解的目的，也能強化記憶效果。但是，倘若碰到內容比較艱澀或複雜，可以再根據電腦軟體繪製的心智圖筆記，採用手繪方式重新繪製，以增強記憶效果（圖4-19e）。如果能應用到稍後第五章第四節所談到的複習步驟，效果會更加驚人。

如本節一開始所述，申論寫作題不應該題目問什麼，你就只回答什麼，還要具有問題意識，能對知識做出應用、分析、綜合、評鑑等。因此，整理讀書筆記時，可以應用心智圖法的網狀脈絡，指出不同章節之間具有相關性的知識（圖4-19d），在平時讀書複習的時候，見樹也見林，如此一來，考試寫作的內容可以更豐富化，更符合申論寫作題評量高層次認知能力的目標。

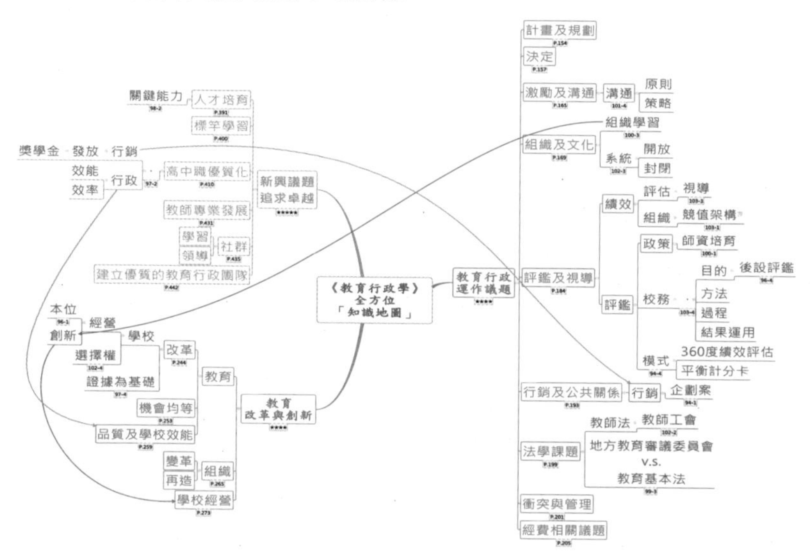

● 圖4-19d 心智圖筆記：知識地圖《教育行政學》～跨章節網狀脈絡關聯性

案例分享

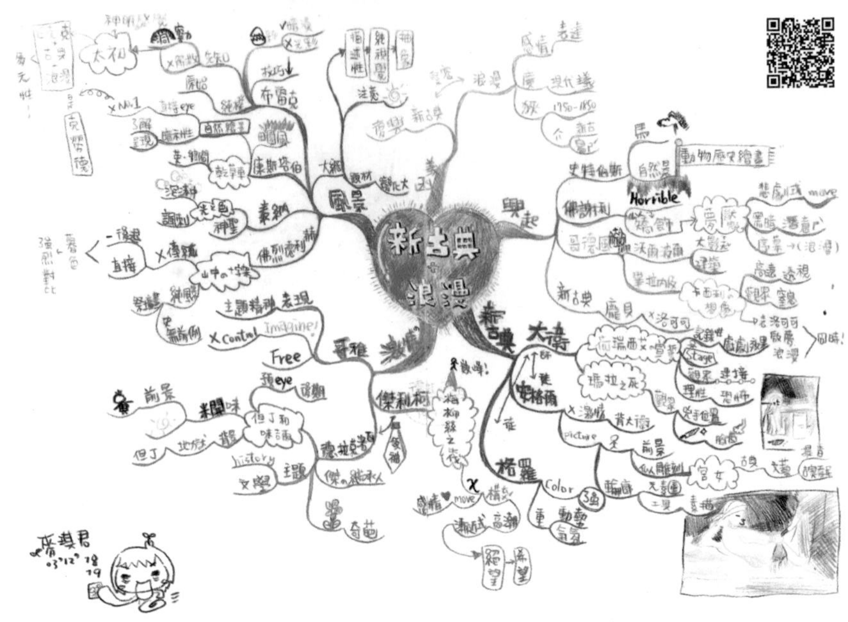

● 圖4-19e 手繪心智圖幫助記憶內容～學員作品：新古典＋浪漫

圖4-19e是新竹女中麥琪君同學為了準備西洋美術史考試，將〈新古典浪漫〉這篇文章，以手繪心智圖的方式記憶內容。麥同學自從在國中二年級學習心智圖法之後，往後學校功課都是以心智圖來整理讀書筆記，並順利考上新竹教育大學，目前是一家軟體科技公司負責人，心智圖法也被她充分應用在工作上的專案計畫、問題分析、簡報等。

{ 優　　點 }

整體分類結構具有清晰的邏輯性，在第一階的主幹說明各大門派，例如新古典、激情、風景，第二階是各大門派的代表人物，第三階之後是每個人物的特色說明；在重要地方也採用插圖與差異化的文字顏色，達到吸引目光的效果，同時強化重點概念的記憶。

同樣也是發生在分類結構，在第一階主幹上分別有「義函（意涵）」、「興起」、「新古典」、「激情」與「風景」，其中新古典、激情與風景屬於畫風派別，因此可在三者之上加入一個上位階派別，對於閱讀理解比較有幫助。

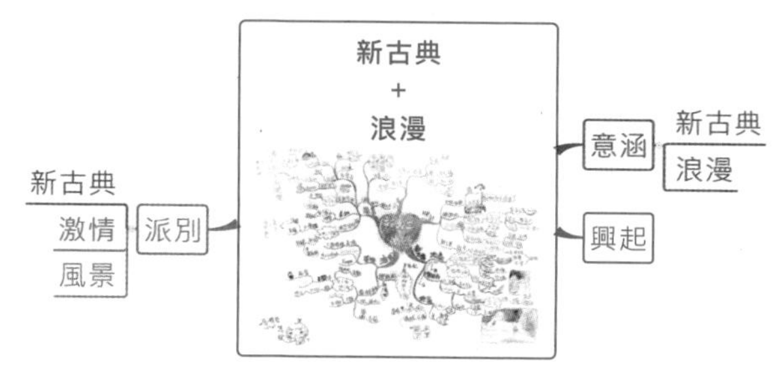

● 圖4-19f 學員作品～案例解析建議

如果想進一步了解更多關於如何應用心智圖法準備各類國家考試、專門職業證照、教師甄試、研究所考試，請參考《國考必勝的心智圖法》（千華數位文化）這本書，我在書中有更詳盡的說明。

第五節　聽演講的筆記技巧

應用心智圖整理上課、聽演講的重點筆記，確實是有點挑戰的工作。因為口中說出來的話，稍縱即逝，就算有投影片做為視覺輔助，許多學生也常覺得來不及記錄抄寫。

把書本文章的內容資料整理成心智圖筆記，由於有較多時間思考該篩選哪些關鍵字，以及關鍵字之間的邏輯結構，技巧上比起上課、聽演講的口語資料顯得容易許多。因此，強烈建議大家，最好能夠先熟悉文章的心智圖筆記技巧之後，才開始嘗試應用到上課、聽演講的場合。

如果你的電腦打字速度還可以，建議初學者採用繪製心智圖的電腦軟體（例如Xmind）來記錄，以便可隨時調整內容結構，減低挫折感，加快進步速度。等技巧純熟之後，再練習手繪，畢竟我們不會一天到晚隨身攜帶電腦，手繪心智圖筆記還是有其必要性。

口語資料筆記的步驟

為了能夠從容不迫地整理口語資料的心智圖筆記，事前的準備功夫不可少，以下是提供參考、模仿的練習步驟與技巧：

一、選擇中心主題及代表性圖像

根據當次會議討論主題與討論事項、演講題目及大綱、課程名稱與單元等資訊，先選擇能夠代表會議主題、演講題目、課程名稱的中心主題，而在中心主題上輸入文字之外，能插入一個具有代表性的圖像會更好。

● 圖4-20a 口語資料心智圖筆記：中心主題

圖4-20a是一場主題為「教育小孩成為創業家」的演講，除了有題目的文字之外，再加入一個有創業家意涵的圖像。

二、加入大類、中類等資訊

接著根據會議討論事項、演講大綱、課程單元等，從中心主題的圖像延伸出必要的各個大類、中類等類別資訊。

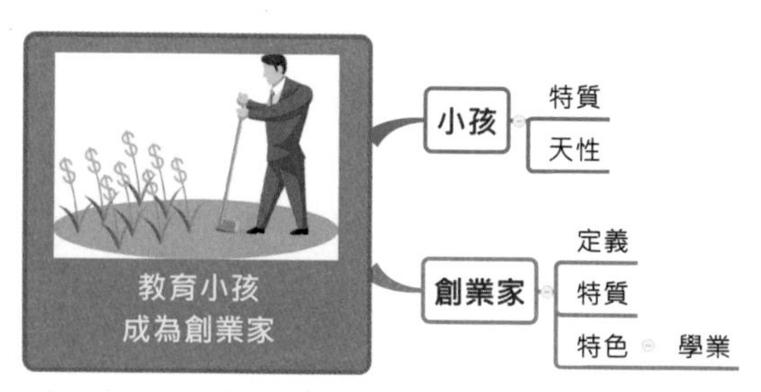

● 圖4-20b口語資料心智圖筆記：加入大類、中類等資訊

三、迅速記錄關鍵重點

演講開始之後，暫時不要太在意關鍵詞的邏輯結構，先將聽到或看到的內容重點，以一個關鍵詞（語詞）的原則迅速記錄到心智圖當中（圖4-20c），等演講節奏稍微輕鬆、和緩，再來調整結構順序，補充必要的內容（圖4-20d）。

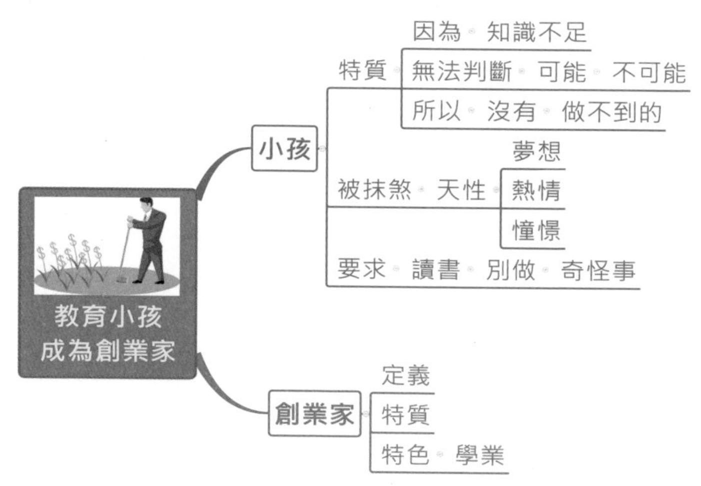

● 圖4-20c口語資料心智圖筆記：迅速記錄關鍵重點

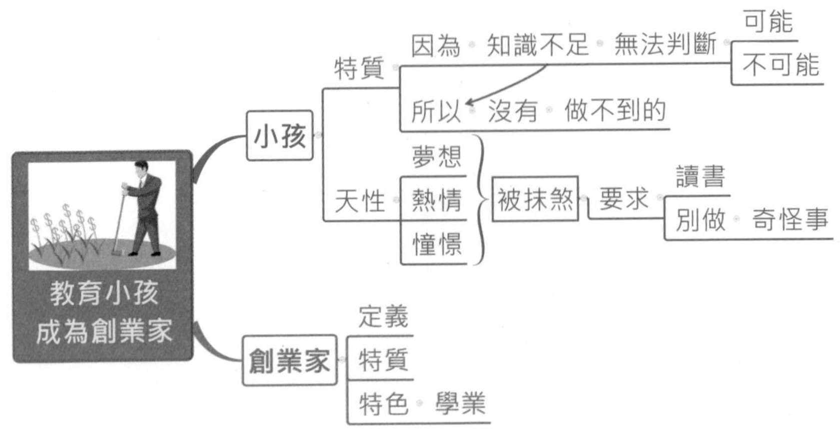

● 圖4-20d 口語資料心智圖筆記：調整結構順序

四、整理迷你心智圖

聽演講的過程中，如果無法完全掌握內容的整體結構，也可以將小議題、小概念另外整理成一個迷你心智圖（圖4-20e），讓思緒不被搞亂。

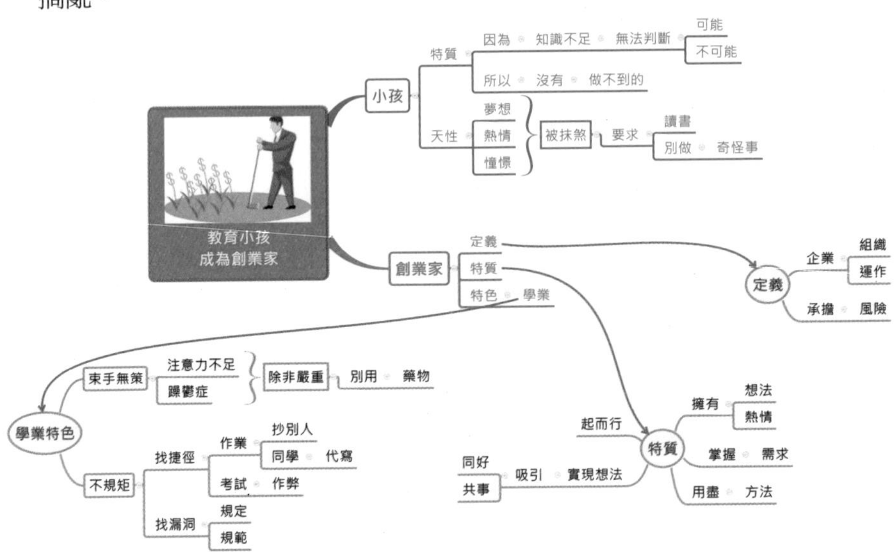

● 圖4-20e 口語資料心智圖筆記：小議題、小概念整理成迷你心智圖

五、彙整製作整合式心智圖

趁下課後時間比較充裕，再依照課程大綱、特定主題或自己的需求，將迷你心智圖重新彙整成一張或若干張整合式的心智圖（圖4-20f）。若有必要的話，還可以在不同張心智圖之間，內容相互關聯的地方設定雙向超連結，以便更有系統地統整知識。

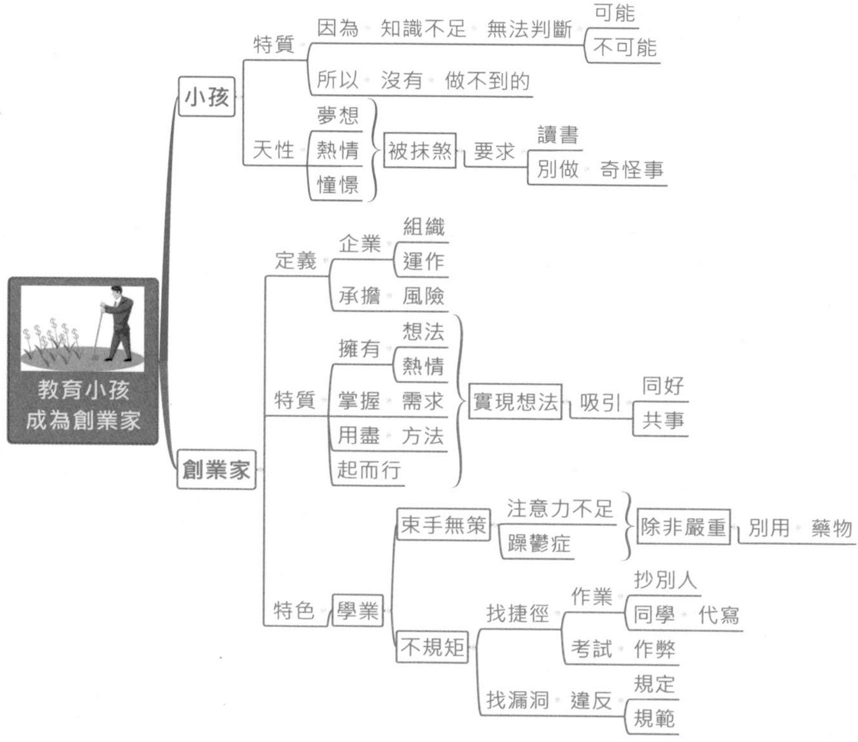

● 圖4-20f 口語資料心智圖筆記：彙整若干張迷你心智圖的整合式心智圖

至於聽講時，哪些內容是需要記錄的重點？一般而言，除了人、事、時、地、物或5W1H、與時間順序有關的資訊、因果關係的原因與結果、問題的成因和影響、解決方法等原則之外，同時要特別注意演講者重複的地方、聲調較激昂處、放慢速度略微停頓時，以及轉折語（例如但是、無論如何）之後的內容，都是可能出現重點的時候，要特別注意聆聽，並找出關鍵詞記下來。

深思考的心智圖筆記

圖4-21是我去參觀臺北旅展時，看到剛好有一場「銀髮旅遊」的專題演講，心想自己長了不少白頭髮，算是符合銀髮的定義了，該是了解銀髮旅遊相關資訊的時候，就坐下來仔細聆聽，並拿出隨身攜帶的小筆記本記錄當天演講的內容重點。

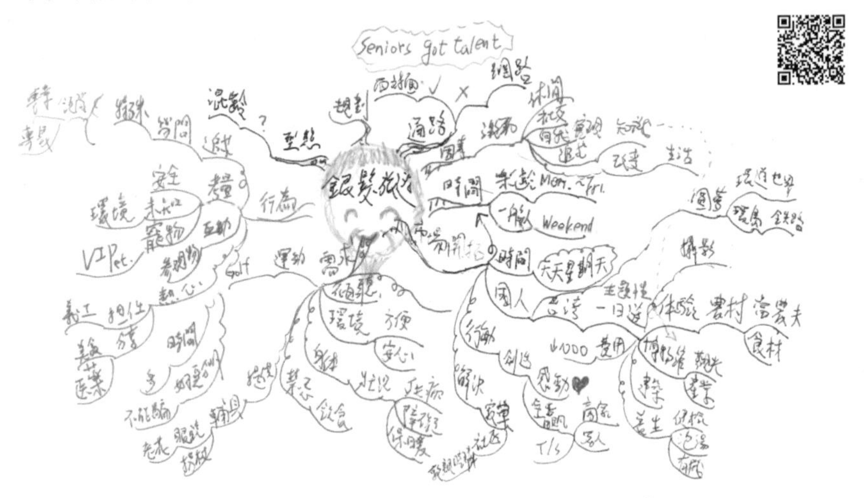

● 圖4-21 口語資料心智圖筆記：聽演講～銀髮旅遊

由於決定進入會場聽演講的時間很倉促，我當時根本沒時間了解當天演講的內容大綱，只知道講題是「銀髮旅遊」，於是快速簡單地畫個有鬍子的人臉代表筆記的主題，無法畫出一個美美的圖像，但這也代表生活上的一個實際現象。

我相信使用心智圖做為筆記工具的人，大部分都不是很會畫畫，每當看到有人可以把手繪心智圖畫得好漂亮，心裡除了驚豔、羨慕之外，多數人都會認為自己做不到，好一點的情況是往後只用電腦軟體繪製心智圖筆記，令人擔憂的是乾脆就此放棄使用心智圖這項好工具。

這時候我們得仔細思考，你的目的是什麼？當然是記錄專題演講的重點內容。那麼心智圖筆記只要內容清晰、整潔、扼要即可，不必太在意美工技巧，甚至中心主題也不需要畫上圖像，畫個框框寫上演講題目就好。因為我們只是要記錄聽講的內容，全部以文字方式呈現是可以被接受的。倘若往後需要記憶內容，可以根據現場所整理的這張心智圖，重新畫一個能代表題目的鮮活圖像，再將文字內容調整成更符合邏輯結構，補充現場記錄時的不足。

在實際生活當中，確實有很多演講的場合，我們事前無法得知演講者的內容大綱，這時候心智圖筆記的技巧就是，**一個小主題就以一個樹狀結構，甚至一個迷你心智圖來記錄演講者的內容。**

例如當演講者談到銀髮旅遊的「通路」時，我馬上在圖4-21右上角以代表「管理」的藍色筆，記錄哪一種通路適合銀髮族；當提到「激勵因素」時，我發現不是繼續說明通路，而是另外一件事情，就改以代表「熱情活力」的紅色來記錄。由於激勵因素含兩個關鍵字，心智圖法掌握一個關鍵字的原則已經深化成我的本能，我當場就將它拆成**激勵**與**因素**，雖然後來演講者並未提到其他因素（例如抑制因素），但養成心智圖法的思考模式，好處是倘若演講者後續還有說明哪些因素與銀髮旅遊有關，我們可以很輕鬆的把這些內容加在「因素」之後，或是引發自己日後繼續去探究還有哪些因素是當天演講者未提到的。

這種**「深思考」心智圖的筆記技巧，不論應用在書面或口語資料的整理，對促進自主學習、主動式思考都能產生很大的助益，也是心智圖「法」的威力所在。**

值得投資的人生寶典

威煦軟體共同創辦人 麥琪君
（孫易新心智圖法® 青少班結業）

14年前，讓我人生就此改觀的一門課……

第一次實際接觸心智圖法，是在我國中就讀美術班時。學美術需要投入大量心力與時間，又必須同時兼顧學校課業，所幸在這人生的交叉口，媽媽安排我參加了孫易新老師的心智圖法青少班。

短短的幾天課程，卻大大的打開了我的世界。透過心智圖的思考方式，可以用更高的視野觀看事情的全貌，每個事件的先後順序、連動關係、重點事項一覽無遺，不論是用在背誦資料、理解知識、創意發想等等，都是絕佳的工具。

到現在，當年畫過的〈五柳先生傳〉跟〈西洋美術史〉心智圖筆記仍歷歷在目，讓我能在興趣跟課業之間得以兼顧。

轉瞬間，使用心智圖法已經14年，現在我正與朋友共同創業，為企業提供最佳的環安衛管理軟體產品。藉由在團隊中完整導入心智圖法，讓我們從概念的發想、溝通、分析、實行與檢討都能快速且正確的前行。

不論您是要解決課業上、工作上的問題，或者想要找出做事情最快的聰明捷徑，心智圖法都是您一定要投資的人生寶典！

準備考試的好幫手

2015年高考社工師及格 劉哲兆

（孫易新心智圖法® 學習應用班結業）

我會接觸到心智圖法是因為公司同事上過孫老師的課程，透過他的分享得知心智圖法對學習方面有很大的幫助。當時我剛好決定報考專門職業證照，想要學習正確、有效的讀書方式，以便在忙碌的工作之餘，增進讀書效率。因此，就報名參加心智圖法的基礎班與學習應用班課程。

在課堂上最大的收穫是，了解學習的原理、正確的讀書方法、心智圖法的原理及應用。例如以前讀書不懂得掌握重點及架構、消化吸收書中的知識，讀書的效率及效果不是很好，而在了解正確的學習原理，學會用心智圖整理讀書筆記，抓出書籍的重點及整體架構後，就可以在一個清楚脈絡下，有效地理解及記憶知識內容。

後來在準備社工師考試時，我充分運用心智圖法的方式，將教科書及參考書內容做成心智圖筆記，讓我可以透過具有全方位知識體系的心智圖，一目了然地掌握特定重點概念在知識體系的關係位置，在釐清觀念的同時，也有助於大腦對於知識的儲存及讀取。

最後還想要與大家分享的是，孫老師一再叮嚀我，平時一定要從題庫中，多多練習選擇題、手寫申論題，再經由檢視課本中的答案，複習並調整心智圖的內容結構。我就是依照孫老師的指導，才順利考取高考社工師。我做得到，相信你也一定可以，大家一起加油！

第五章

激發超強的記憶力

「激發」？是的，本章要說明如何「激發」你的超強記憶力！

為什麼不用「訓練」或「培養」這樣的字眼，而用「激發」呢？

這是因為你本來就擁有超強的記憶力，只是這項潛能沒有被激發出來而已。

人類（其他動物也是一樣）為了生存、為了解決生活中的問題，記憶力是一項重要的基本能力。在本章當中，我所要扮演的角色，就好比希臘哲學家蘇格拉底（Socrates）的譬喻：「產婆」，把已經存在你身上的能力——「記憶力」，順利接生出來！

第一節　空間記憶

在人類還沒有發明衛星導航之前……不！不！不！再稍微往前推個幾千年，在人類還不懂得使用地圖之前，每天早上天一亮，辛苦的爹地、媽咪為了找東西回來給嗷嗷待哺的小朋友吃，就得出門打獵。

可是哪裡有好吃的食物呢？這時爹地、媽咪就得靠記憶力記住出門之後往哪個方向可以找到小鹿，往哪個方向可以抓到魚，哪個方向有老虎等著抓人回去給小老虎當點心。

這種透過空間的相對位置來記住特定資訊，是進化過程中深植於我們大腦的能力，一旦缺少這種能力，你就無法出門也無法回家。後來有許多訓練記憶的專家運用這種空間位置的技巧，提出了羅馬房間法、身體掛勾法等強化記憶力的方法。而為了提升記憶文章的心智圖筆記效果，只要平常勤練身體掛勾就非常受用了。

所謂的身體掛勾，就是先在身體不同的部位，依序給予編號，然後將要記憶的東西「掛」在那個地方。這時候不僅要融入五官的感覺，稍微誇張些，效果會更好。

一、身體部位編碼

請按照順序從頭到腳或從腳到頭給予編號，30年前我初學時是從腳開始，也因此養成習慣，接下來就按照我的方式為大家說明。

10.頭頂
9.眼睛
8.鼻子
7.脖子
6.肩膀
5.腰部
4.屁股
3.大腿
2.小腿
1.腳底

二、融入五官感覺

把要記憶的東西按照順序「掛」在相對應的位置。請跟著我一起想像，別忘了要融入五官的感覺，並且稍微誇張些沒關係。

1.榴槤。腳底踩著榴槤。

2.小刀。小腿被小刀刺穿。

3.小貓。大腿依偎著一隻小貓。

4.櫻桃。屁股拉出一顆顆櫻桃。

5.麵包。腰部掛著一串麵包。

6.竹竿。肩膀扛著竹竿。

7.雞腿。脖子掛著雞腿。

8.蓮霧。鼻子長得像蓮霧。

9.飛彈。眼睛發射飛彈。

10.茶杯。頭頂上戴著大茶杯。

牛刀小試

請拿張紙遮蓋上半頁，再把答案寫下來，看看是不是很輕鬆就把10項東西按照順序背下來了。

10.		5.	
9.		4.	
8.		3.	
7.		2.	
6.		1.	

心智圖法就是應用到空間記憶這項人類天生的能力，從心智圖的中心主題以360度順時針方向，將關鍵字以具有邏輯的架構，展開在一張紙的不同位置。平常多練習身體掛勾的記憶遊戲，可以訓練空間記憶的能力。將來把書本中的重點整理成心智圖筆記之後，你會發現腦海中可以輕鬆浮現心智圖的右上方、右下方、左上方、左下方，分別記錄了哪些內容，這就是應用到空間記憶的能力。

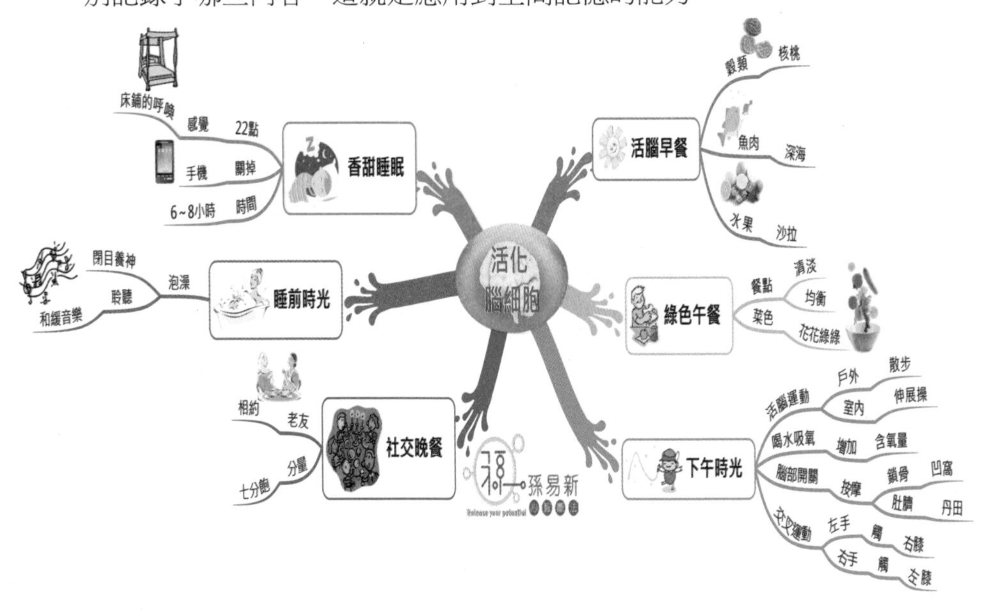

● 圖5-1 心智圖文章筆記範例～「活化腦細胞」

例如圖5-1「活化腦細胞」這張心智圖，請仔細看一下從中心主題圖像「活化腦細胞」延伸出位於不同空間位置的內容。

相信你一定很容易就可以記住一點鐘方向有個太陽代表「活腦早餐」；那九點鐘方向可以出現泡澡畫面，代表「睡前時光」要泡個舒服的澡嗎？

輕鬆記住了，對吧！這就是心智圖法運用我們大腦空間記憶的能力，以心智圖筆記的方式來記住想要記憶的內容。

第二節　情節記憶

你喜歡聽故事嗎？

每個人都喜歡聽故事，寶寶睡覺前講個故事給他聽，不僅可以幫助輕鬆入睡，也可增進親子之間的情感。

最近有科學研究結果顯示，睡前聽故事可以促進寶寶大腦語言與閱讀能力的發展。這是因為聽故事時，會讓我們充滿「想像力」，並在大腦中產生「視覺化」的效果，而這對敘述的理解及記憶是一個重要因素。

因此，喜歡聽故事是人類的天性，**透過編織故事，把想要記憶的東西融入故事當中，是一種有效的記憶方式。同時，情節內容不僅要講求視覺化，也要幽默一點、誇張一點，讓想像力盡情發揮，記憶的效果就越好。**

以下舉幾個例子說明：

【例一】

「一個有效的政府，它的特性有回應性、代表性、責任性、可靠性、務實性。」

上面這段內容如果死記硬背一定很痛苦，而且很快就會忘掉，若是把它編成一個有意義的故事情節，記憶的效果就大大改善囉！

「一個有效的政府，它必須適時且充分回應人民非核家園的需求；至於政府是要興建或停建核能電廠，必須代表大多數人的意見或利益；因此，政府有責任保護人民；各項作為必須是可靠的，以便讓民眾對政府有信心；同時政府的施政作為必須務實地講究可行性，才能達成施政目標。」

【例二】

「行政計畫的特性有：領先性、抉擇性、邏輯性、整體性、管理性、管制性、效率性與效果性。」

要記住行政計畫這八大特性真的是不輕鬆，而且很容易混淆。這時候我們可以透過分析、歸納，把它們變成一個比較有意義的情境，才會好記。例如：

「身為學校的校長，為了校務發展，在行政計畫上必須具有『前瞻』性才不會被時代淘汰，行政計畫執行之前當然得做好『規劃』，執行時要落實『控管』，以便讓家長會與教育局看到『成果』。」

記憶四類是不是比八項容易多了？而且具有故事性，才能記得牢固。一旦記住這四類之後，每類再延伸聯想兩個特性，要記住八大特性就會輕鬆多了。

「有『前瞻』的構想必須具有領先性，並透過抉擇性從諸多構想中選出合適的選項；進行『規劃』必須合乎邏輯性，並且考量到整體性；『控管』時須依管理性去管制人員與預算等；驗收『成果』不僅要講求效率性，也要務實一點看到效果性。」

把容易搞混的八個項目，先分成比較好記的四種類別，每類再聯想需要記憶的兩個項目，就可以輕鬆記住全部的內容，這就是心智圖法在提升記憶力的應用。

像這樣**根據每一項目的內容意涵，先予以分類，再編成有情節的故事來記憶，符合大腦記憶階段中將短期記憶轉化成長期記憶的關鍵要素——「有意義的學習」**，不僅可以輕鬆回答選擇題，也有助於申論題的寫作。

倘若需要記憶的內容較多，可以結合空間記憶與情節記憶，以心智圖筆記方式整理學習重點，這是一種全腦思考與學習的方法，不僅有助於內容的理解，還可以強化記憶效果。

牛刀小試

請將下列企業管理領域中，管理程序學派學者費堯（H.Fayol）所提出的十四點管理原則：分工、權責對等、紀律、指揮統一、目標一致、團體利益大於個人利益、獎酬公平、集權化、階層鏈鎖、秩序、公正、員工穩定、主動、團隊精神，先分成有意義的幾個類別，再以故事聯想的方式記憶內容。

〔參考範例在第222頁〕

第三節　超強記憶訓練

綜合空間與情節兩種記憶技巧，我們可以發現，將資訊呈現在眼前不同的位置，並融入五官的感覺，或與生活產生關聯，編成幽默一點、稍微誇張的情節，是提升記憶效果的基本重要因素。

但是懂得道理是一回事，做不做得到又是另一回事。以下提供一個小練習，只要平時多玩玩這個綜合空間與情節兩種記憶的5×5方格遊戲，記憶力自然會明顯改善喔！

	A	B	C	D	E
5	手槍	氣球	糖果	橘子	老師
4	書本	蚯蚓	校長	帽子	汽車
3	竹竿	梳子	樹葉	銅板	小貓
2	小狗	茶壺	磁鐵	神仙	饅頭
1	雞蛋	電鍋	老鷹	領帶	警察

這個記憶練習的步驟是：最左邊一列以空間記憶的身體掛勾，把這五個東西「掛」在身上；接下來每一行採用故事聯想的情節技巧來記憶。

現在請你跟著我一起聯想：

【空間記憶】

用「腳」踩破地上的**雞蛋**；一隻**小狗**咬住我的「小腿」；用「大腿」折斷**竹竿**；「屁股」坐在**書本**上；「腰部」掛著一把**手槍**。

【情節記憶】

1. 把**雞蛋**放入**電鍋**，孵出**老鷹**，牠打著**領帶**去見**警察**；

2. **小狗**叼著一把**茶壺**，倒出許多**磁鐵**，吸引**神仙**大吃**饅頭**；

3. **竹竿**製成**梳子**去梳理**樹葉**，掉下許多**銅板**砸到樹下的**小貓**；

4. **書本**爬出一堆**蚯蚓**去見**校長**，他的**帽子**是**汽車**造型；

5. **手槍**射擊**氣球**，掉下好多**糖果**，是**橘子**口味，連**老師**也來搶。

往後請大家拿英文識字卡片做為練習材料，從一大疊當中隨意抽出25張，排成5×5的方格來訓練你的超強記憶力。

牛刀小試

請根據上一頁的練習，在空白格子填上答案。

一、

	A	B	C	D	E
5			糖果		
4	書本			帽子	
3	竹竿		樹葉		
2		茶壺		神仙	
1	雞蛋		老鷹		警察

牛刀小試

請遮住第一題，才繼續在第二、三題空白格子處填寫答案。

二、

	A	B	C	D	E
5					
4					
3					
2					
1					

三、

	A	B	C	D	E
5					
4					
3					
2					
1					

第四節　心智圖筆記的記憶技巧

以繪製心智圖的軟體來整理自己的學習筆記，加上應用空間與情節的記憶技巧，大部分內容都可以在腦海中留下深刻的印象。不過在實際學習的過程中，你一定會碰到有些單元或主題，對我們來說可能內容太生澀，或不容易與生活經驗產生連結，雖然已經運用軟體整理成自己的學習筆記，但還是記不起來。這時候就得將用電腦整理好的心智圖，針對需要加強的部分，再以手繪方式畫出心智圖，以加強記憶效果。

手繪的功能與優點，就好比我們小時候讀書，會將課文中標示的重點，拿出紙筆再謄寫一次。透過手繪具有邏輯結構心智圖的過程，同時記憶心智圖當中的內容，效果會比傳統條列式要好上好幾倍。其過程與步驟，以〈自我導向學習的發展歷程〉這個主題的心智圖為例子，說明如下：

一、以手繪心智圖的方式記憶內容重點

1. 根據主題，在橫放的A4白紙上畫一個容易聯想與記憶的圖像，並巧妙地將文章題目的文字融入圖像當中，以強化印象，並避免日後忘記這張心智圖筆記記錄的是哪一篇文章。（圖5-3a）

● **圖5-3a 心智圖筆記的記憶：畫出文章題目的圖像**

2. 根據課文內容，畫出所有的大類標題名稱，透過手繪選擇色彩與關鍵字的過程，強化記憶效果。（圖5-3b）

● 圖5-3b 心智圖筆記的記憶：寫出並記憶所有的大類標題名稱

3. 依序從第一個大類名稱之下，寫出下一階層的分類名稱或內容細節。從圖5-3c可以看到我在「理念形成」之下先寫下古希臘三個哲學家的名字並記憶他們。

● 圖5-3c 心智圖筆記的記憶：寫出並記憶某一大類之下的中類概念

4. 繼續將小類或內容細節寫下來並記憶（圖5-3d），如果資訊之間有相關，可以採用關連線條的方式強化記憶印象（圖5-3e）。

● **圖5-3d** 心智圖筆記的記憶：寫出並記憶小類或內容細節

● **圖5-3e** 心智圖筆記的記憶：相關資訊之間採用關連線條

5. 某個大類的內容完成之後，重複1～4的步驟，依序將其他類別的內容寫出來。

● **圖5-3f 心智圖筆記的記憶：依序寫出其他類別的內容**

二、加上外框線條

以相同或類似顏色的彩色鉛筆，將心智圖中每一個大類別的樹狀結構，沿著表面輪廓畫出一個包覆的邊界外框（圖5-3g）。透過這個過程，再次記憶這篇文章涵蓋哪幾個主要類別或概念。

● **圖5-3g 心智圖筆記的記憶：加上外框線條再次記憶主要類別或概念**

三、美化線條

以相同或類似顏色的彩色鉛筆，沿著主幹、支幹線條畫出陰影，並在每個支幹線條畫出由粗而細的美工效果，除了創造美感，同時也有助記憶支幹上的內容。別忘了，內容中某一概念之下有區分出分類結構的話，都得先記憶所有的類別（圖5-3h-1），再記憶之後的細節（圖5-3h-2）。最後把其他幾個大類的內容，同樣在線條上加上美工效果來記憶內容重點（圖5-3h-3）。

● **圖5-3h-1 心智圖筆記的記憶：美化線條記憶支幹上的內容**

● **圖5-3h-2 心智圖筆記的記憶：美化線條記憶支幹上的內容**

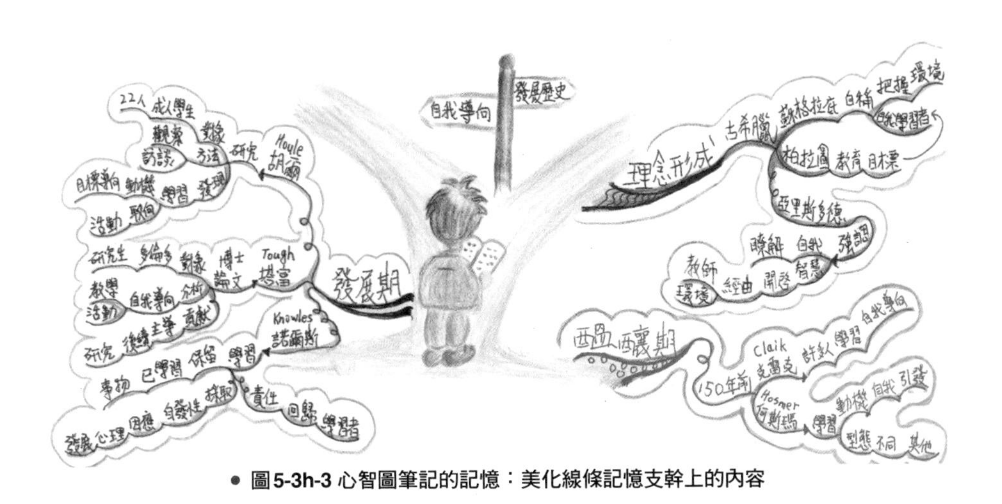

● 圖5-3h-3 心智圖筆記的記憶：美化線條記憶支幹上的內容

四、文字上淡刷色彩

以淡一點顏色的彩色鉛筆，從主幹往支幹，順序在文字上淡淡的塗上顏色。步驟和先前所強調的相同，只要有分類結構，都要先記憶所有的分類概念（圖5-3i-1），再記憶細節說明（圖5-3i-2）。過程就好比我們以前讀書，會拿螢光筆在課本文字上畫重點，用意是一樣的，可以再次加強對關鍵字的記憶。

● 圖5-3i-1 心智圖筆記的記憶：文字上淡刷色彩

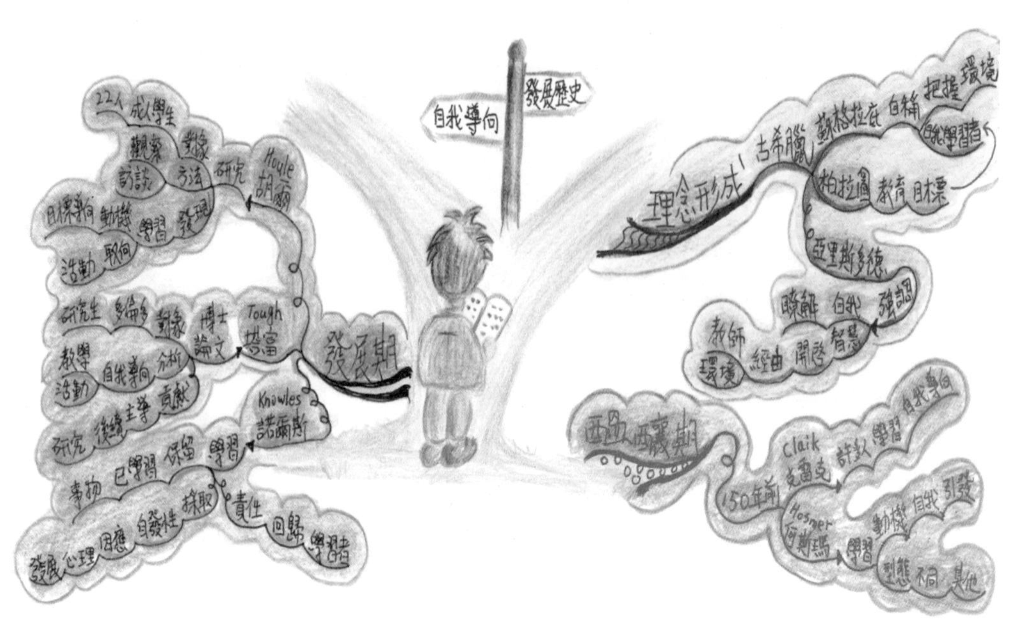

● **圖5-3i-2 心智圖筆記的記憶：文字上淡刷色彩**

最後，試著讓這張手繪的心智圖可以輕鬆浮現腦海。

往後固定一段時間，再次閱讀並複習之前所整理、必須強化記憶的這些心智圖，相信你絕對會有十足的信心赴考場。

牛刀小試

請根據這張我整理彼得・聖吉（Peter M. Senge）所著的《第五項修練》（The Fifth Discipline）一書中，關於五種修練意涵的心智圖筆記，應用本節所說明的記憶心智圖技巧，自己以手繪的方式看看你是否能理解並記憶當中的內容。

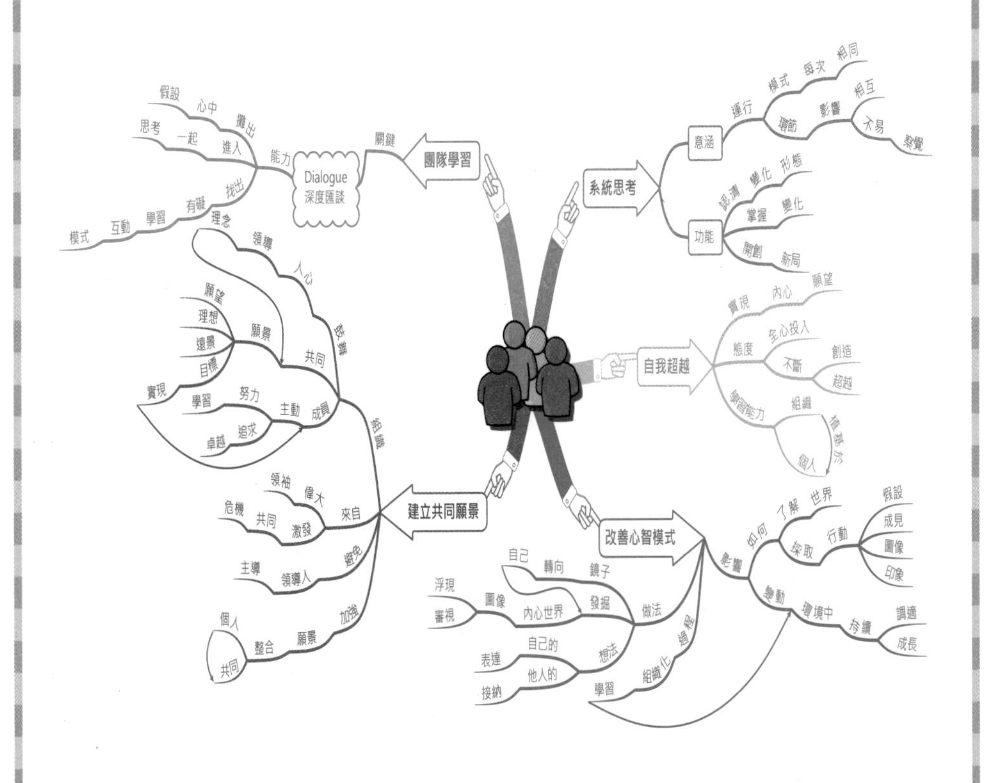

● 圖5-4 心智圖文章筆記範例～《第五項修練》

專案管理的利器

台灣智慧光網股份有限公司專案經理 卓克羽
（孫易新心智圖法®2015年師資培訓結業）

做過專案的人應該都了解一個道理，專案管理唯一不變的就是——變！

多年來從事專案管理工作，變動是最常面臨到的問題，例如利害關係人需求的變更、組織與專案人員的異動……等等，如何針對變異有效地預防與處理，常常讓人很傷腦筋。於是開始思考及找尋是否有方法或是工具能夠有系統、有架構的幫助解決問題。

在外商任職期間，看到公司前輩運用心智圖法處理工作，在好奇上前請教後，發現這不就是我正在找尋的方法！後來在一次偶然的機緣下，聽到孫老師介紹心智圖法，我馬上報名參加課程。

學習心智圖法後，在工作上最大的幫助就是能掌握全貌！在執行專案過程中，整個專案就是一張心智圖，以往常常無法察覺問題的關聯性，藉由心智圖法中關鍵字、Brain Bloom & Flow、樹狀結構與網狀脈絡的開展，對於問題分類及因果關係更能有效掌控，讓整個思緒更加縝密。另外，在溝通上也有很大的幫助，利用心智圖法進行會議與溝通，比以往更有效率，讓與會成員更能聚焦討論，在需要處理的項目上提出具體解決方案。

問題的分析與解決，需要有系統化、架構化的方法來梳理並收斂，才能做出關鍵的決策。心智圖法就是這一個非常強大的工具！活用心智圖法，可以有效地幫助我們在混沌未明的困境中看見曙光！

- Part -

4

實踐之路

心智圖工作術

第六章

職場精英的心智圖法

心智圖法已經被超過2000家跨國企業採用做為培訓員工思考的方法，諸多的學術論文也證實了心智圖法在職場應用上的成效。本章將說明心智圖法在日常工作中的應用技巧，以及可以搭配哪些相關的工具與策略，讓心智圖法的功能如虎添翼，幫助大家創造豐碩亮麗的工作績效！

第一節　創意腦力激盪

心智圖法在世界咖啡館（World Café）的應用

近年來，不論是民間企業、公務機構或學校、社團，紛紛導入「世界咖啡館」（World Café）做為創意發想、腦力激盪與深度匯談的方法。

它是由未來學學會（The Institute for the Future ）研究專員布朗（Juanita Brown）與德州大學EMBA副教授艾薩克斯（David Isaacs）共同發起的一種策略性匯談模式，也是《第五項修練》作者彼得・聖吉最推崇的嶄新學習法，是一種適用於創新歷程、知識創造、策略規劃與轉型變革的腦力激盪法，操作原則如圖6-1所示。

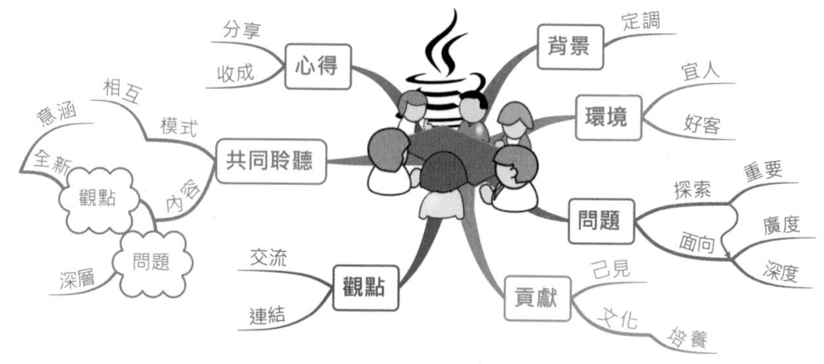

● 圖6-1 世界咖啡館的七大原則

由於我們的大腦傾向於放射性、跳躍式的思考，在世界咖啡館的腦力激盪過程中，心智圖法的樹狀結構與網狀脈絡能讓我們在輕鬆愉快的氣氛之下，隨意的在不同主題、概念之間貢獻自己的想法，最後所產出的結果卻又不失邏輯結構性。在討論的過程，將想法透過塗鴉的圖像及色彩運用，表達對概念想法的感受性，對於友善氣氛的營造與創意的激發有正面影響。

融入心智圖法的世界咖啡館腦力激盪模式，每組人數不宜過多也不能太少，以6個人最合適，從中選出一位擔任小組長，在世界咖啡館模式下稱之為「桌長」。

匯談進行的步驟與原則如下：

一、發散階段

1. 根據匯談主題、目的或關心的議題（例如高齡化社會），在白色海報紙的中央畫出一個彩色圖像。

● 圖6-2a 畫出匯談主題、目的或關心的議題

2. 從主題界定出幾個對話的類別或方向，依據每一個類別的意涵，選擇較貼切的顏色，畫出若干條由粗而細的線條，並在線條上以同樣顏色寫出類別名稱。

● 圖6-2b 界定出幾個對話的類別或方向

3. 內容結構要採用邏輯聯想或自由聯想，由匯談的目的來決定。

4. 為放鬆心情，階層結構可以不用刻意講究邏輯分類的嚴謹性；有任何想法立即說出來、寫下來，暫時不做任何評價。

5. 開始發表意見時，可以是自己，也可以由另外一位成員幫忙把意見想法填到心智圖適當的位置。在不同類別的內容當中，如果彼此有關聯性，可以用關連線條來表示。

6. 線條上的文字，盡量以一個語詞為原則。

● 圖6-2c 以一個語詞的方式寫出想法觀點

7. 除了文字之外，盡量在自己認為比較關鍵的想法（不論是自己想的或他人說的）上，加上能與內容產生聯想的彩色圖像。

● **圖6-2d 重要觀點的地方加上跟內容可以產生聯想的插圖**

每一回合匯談結束，每桌除了桌長留下來之外，其他成員均分散到其他各桌。在新回合開始時，桌長先為大家說明該組剛才討論的類別、方向及細節內容，然後大家再根據這張心智圖，繼續給這組一些意見。

世界咖啡館融入心智圖法的匯談意見交流模式，以及不斷更換組別、組員的方式，能減低成員固執己見的情況發生；心智圖可以讓新加入的夥伴很快了解剛剛這組所討論的內容，以便接下來有效率地貢獻自己的意見與想法。

換句話說，這是一種用對話找答案、用心智圖統整想法與激發創意的集體創造思考呈現方式。討論結束後，能產生出問題意識，為自己所關懷的議題，或組織部門的任務，尋找出許許多多創意的構想。

二、收斂階段

在第一階段我們已經發想出諸多構想了，接著就要根據這次匯談的目的做出選擇。收斂的模式會依需求不同而有所差異，以下所舉例子是提供參考，並非標準答案或唯一模式。大家可以依據實際的需求，從管理實務上尋求各種不同收斂做法。

1. ALU模式

相信大家一定都聽過「虧錢生意沒人做」這句話，沒有利益好處，很難激發意願與動機，獲得公司主管的支持。一件對大家都有好處的事情，但在執行上困難重重，或限制過多，硬是去做，恐怕會澆熄大家的熱情，甚至有違法的風險；而一項商品或服務若過於平凡、普通，也很難創造出價值。因此，在創造思考的收斂技巧上就有所謂的「ALU模式」，也就是以ALU三個評量標準，篩選發散階段所產生的構想，讓最後保留下來的點子是具有利益好處，限制較少且具有獨特性的。其評量標準及步驟如下：

- **Advantage：利益好處極大化**。先從發散階段所產生的許許多多想法中，挑選出對大家都有利益好處的項目。

● 圖6-2e 以黃色螢光筆標示出利益好處極大化的項目

• **Limitation：限制性極小化**。接著從有利益好處的項目中，刪除有限制性的，可能是法令限制、預算限制或是技術上的限制等等（或勾選出無上述限制者）。

● **圖6-2f 在限制性較少的項目上打勾**

• **Unique：獨特性或差異化**。最後，從利益好處比較多、限制性最少的項目中，挑選出具有獨特性或差異化的項目，才有機會創造出無限生機的藍海策略，不至於讓努力半天創造出的成果（產品或服務），因為與競爭者同質性太高，而淪入殺價競爭的「紅海」。

● **圖6-2g 以星號標示出具有獨特性或差異化的項目**

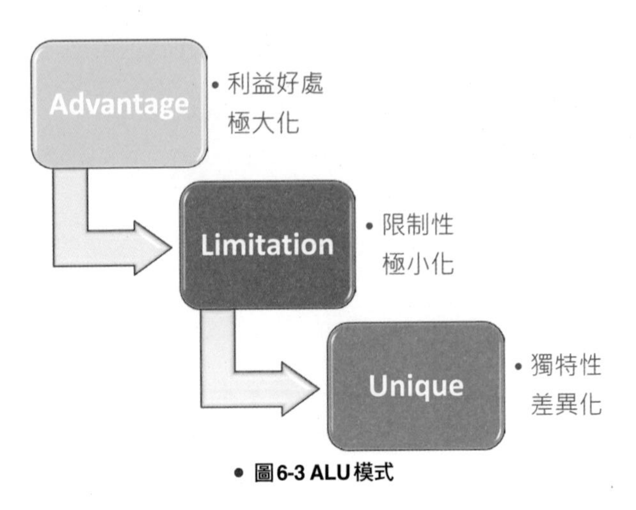

● 圖6-3 ALU模式

經由以上ALU模式過濾出來的構想，雖然有它的價值性，但我們仍然得根據公司的發展階段或行銷策略，做出妥善適當的分類，以便為下一階段的專案計畫項目提出執行的優先順序。這時候就可以採用安索夫矩陣來進行分析，甚至訂出短中長期計畫。

2. 安索夫矩陣（Ansoff Matrix）

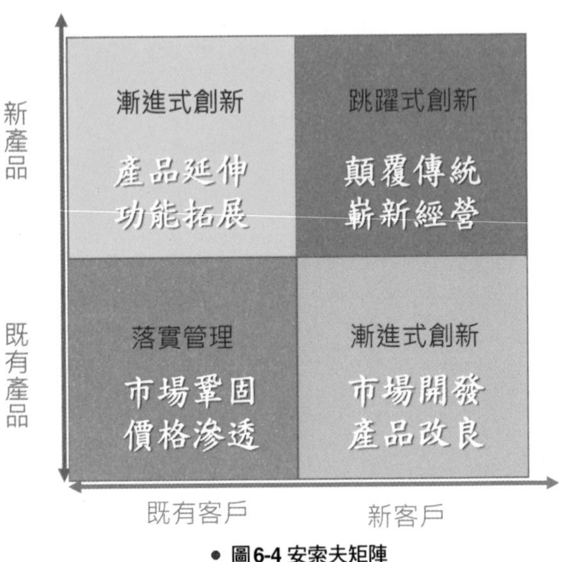

● 圖6-4 安索夫矩陣

從圖6-2g經由ALU模式所收斂出來的結果，我以從事社會教育工作者的立場，透過安索夫矩陣四個象限進一步分析「孫易新心智圖法課程」這項產品，可以找到以下幾種發展的可能性：

- 在「市場鞏固」方面，推出基本款課程項目，以較低廉的學費，滿足預算有限的學員，公司則要落實管理以維持利潤。
- 服務心智圖法課程的舊學員，以「產品延伸」的策略，推出應用桌遊教具，提升創意思考的課程。
- 針對高齡化社會的樂齡族群，以「市場開發」的策略，把現有心智圖法課程結合桌遊教具，開辦托老所，讓樂齡族經由根據高齡者學習需求與特性所規劃的課程，記憶力變得更強、邏輯更清晰、生活更有創意，並能降低失智的風險。
- 採取「嶄新經營」的策略，針對樂齡族群推出可以攜帶寵物一起入住的度假村，除了提供自己動手種植有機蔬菜之外，還規劃泡茶聊天，邀請成功人士分享養生之道的服務。

身處在快速變遷的社會，產業必須隨著時代脈動轉型，只有持續不斷創新的企業與個人才能存活，否則即使叱吒一時的成功者，也可能會被後續的創新者淘汰。例如創立於1881年的伊士曼・柯達公司（Eastman Kodak Company），曾經是世界攝影器材的龍頭老大，市場占有率高達四分之三，卻因為沒有跟上數位相機的時代潮流，隨著客戶的需求改變，進行產品創新，最終在2013年宣告破產。

換句話說，唯有發展能夠解決人類與社會需求的創新經濟，才能讓企業與個人維持不墜的競爭力，而這有賴於每個人都能突破保守、僵化的思維。善用本節所說明的技巧，將是你邁向成功創新的第一步。

第二節　思緒縝密的檢核表

工作檢核的內容，一般而言屬於分類結構，講求互斥與窮盡原則，這都是心智圖法最能發揮的功能之一，因此心智圖非常適合做為檢核工具。為避免大家忘記前面所提示的重點，本節將以每個人日常生活中都用得到的「採購清單」作例子，教大家練習如何以六個簡單步驟，輕鬆完成一張檢核用途的心智圖。

步驟一、確認核心主題：中秋烤肉採購清單

選擇能代表中秋節的圖像，做為中心主題圖像。看！是不是很有中秋烤肉的感覺呢？

中秋烤肉
採購清單

● 圖6-5a 採購清單：中心主題

步驟二、掌握大綱架構：擬採購物品的大類別

首先從大方向著手，應該準備哪幾大類的東西，如果腦海出現細節項目的話，也思考一下，它會被放在大賣場的哪個區域。

步驟三、運用色彩意涵：各大類物品的代表顏色

對你而言，每一大類分別用什麼顏色代表，可以貼切表達內心的感受。例如蔬果是綠色、肉類比較像橘黃色、海鮮用海水藍等。

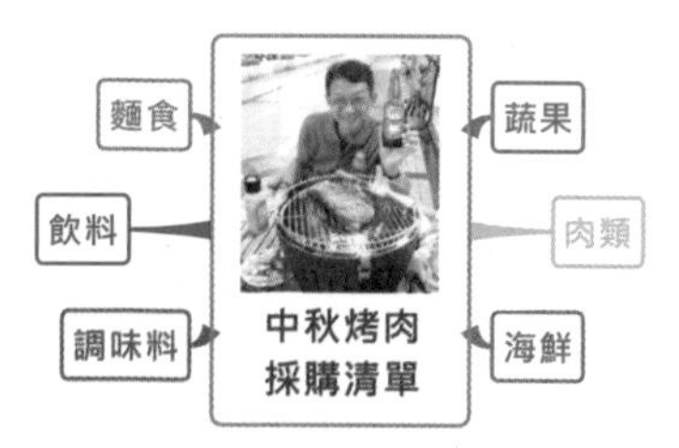

● 圖6-5b 採購清單：構思大類別與代表的顏色

步驟四、延伸內容細節：想要購買物品的中類、小類與細項

接著從各個大類思考中類、小類與細節項目。如果某一個東西會讓你想到得搭配其他東西才能完成一道料理，那你可以立即跳到另一個類別項，把東西名稱寫下來。例如菲力牛肉需要「黑胡椒」，在寫「肉類」時就可以立即到調味料那一區把東西名稱寫下來。

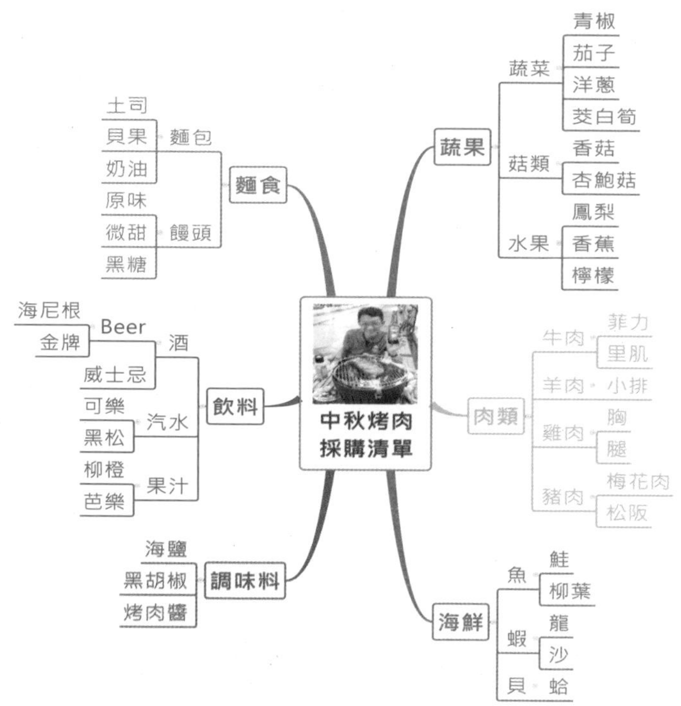

● 圖6-5c 採購清單：延伸想要購買物品的中類、小類與細項

步驟五、思考彼此關聯：檢視不同類物品之間是否有關聯性

延續步驟四，若發現有關聯性的東西，就用關連線條指出彼此之間的關係。在最後確認檢核表時，可以清楚看出為什麼要購買這項物品，使用時避免挪做他用。

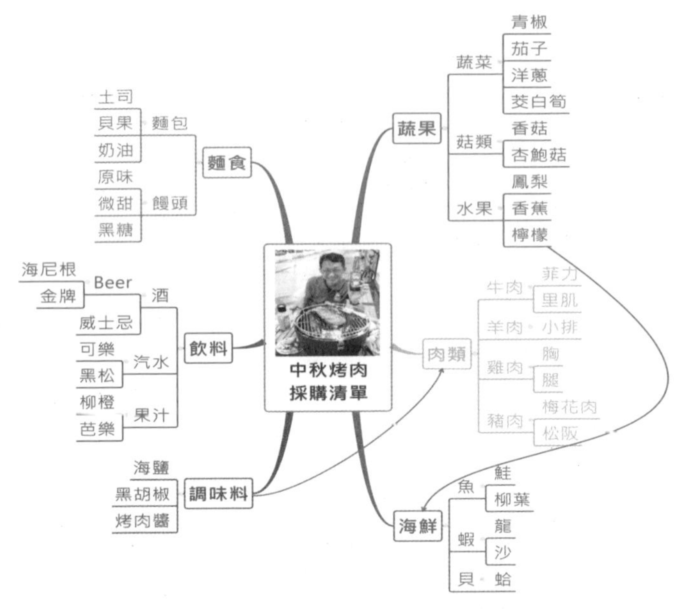

● 圖6-5d 採購清單：檢視不同類別之間的關聯性

步驟六、加入重點插圖：在一定要買的類別或細項上加插圖

最後，在一定要買的類別或項目上加插圖，除了有提醒作用，避免遺漏，在預算有限時，也可看出哪些東西可以不用購買。

做法是在大類加上插圖，表示這一大類是必買清單，例如**蔬果**、**肉類**與**調味料**，不需要在下位階再加插圖；若某一大類之下有兩個中類，只有其中一個必須購買，就在那一個中類的地方加上插圖，例如**麵包**；若某一大類中，只有某樣東西一定要買，那麼只需要在那個細項上加插圖即可，例如**柳葉魚**。

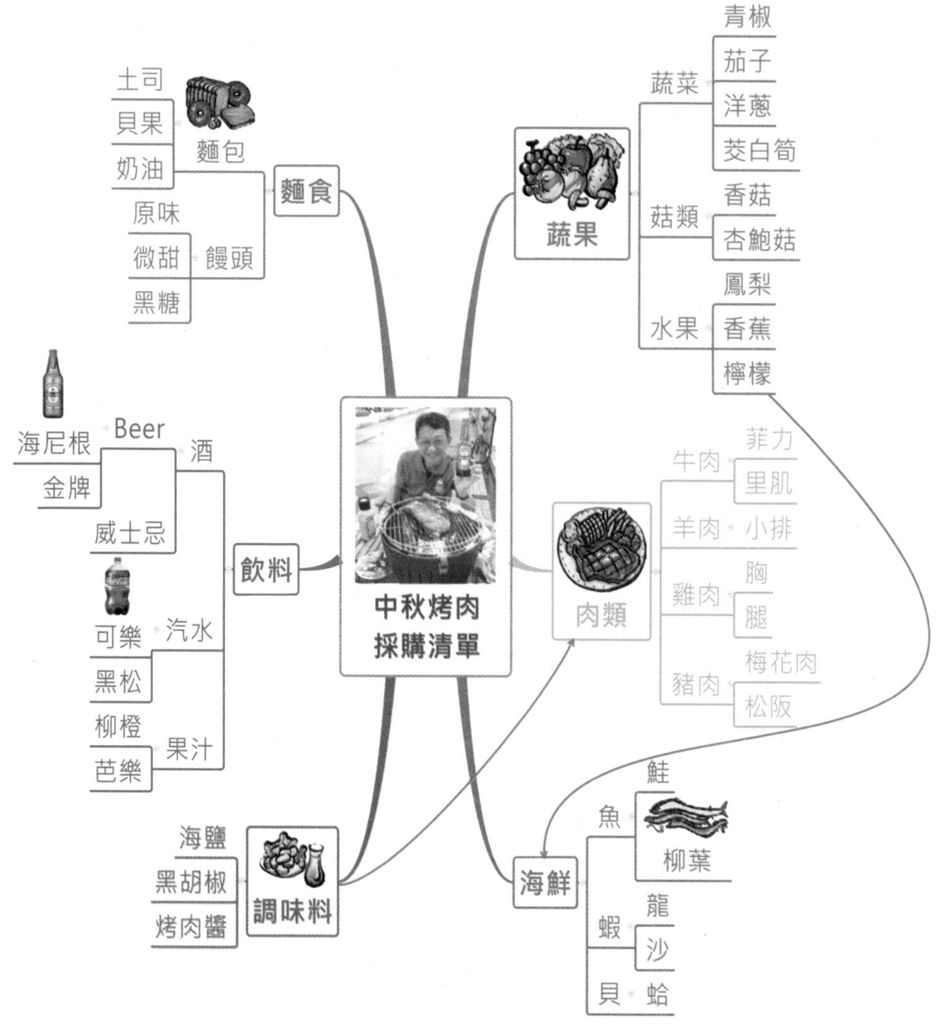

● 圖6-5e 採購清單：重點地方加入插圖

這時候你應該有注意到，檢核用的心智圖與作文章筆記的心智圖在插圖應用上是有所差異的。讀書筆記心智圖的插圖是加在重要地方，當然圖像必須要能與內容產生連結，以吸引目光注意並強化記憶。所以，文章筆記的心智圖有可能在上位階加了插圖，下位階也要加插圖。

案例分享

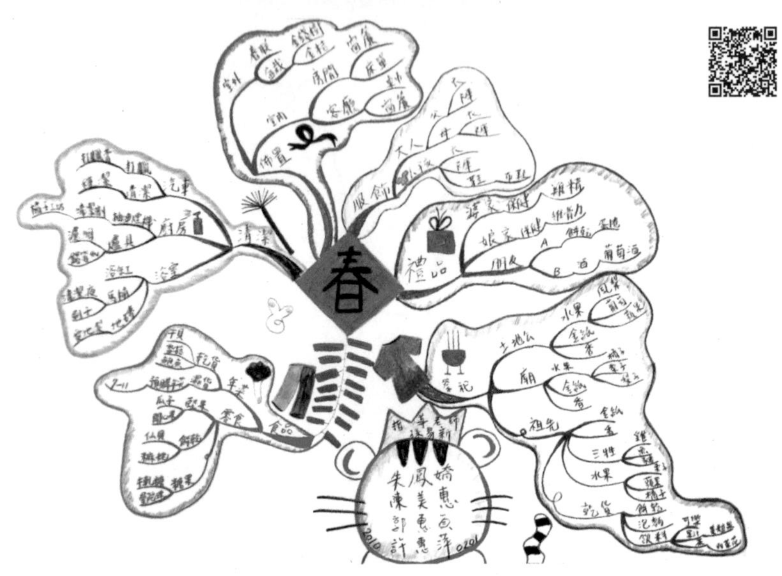

● 圖 6-5f-1 採購清單：學員作品分享

圖6-5f-1這張「春節採購清單」心智圖，是參與新湖國小所舉辦的心智圖法教師研習營，其中一組學員的集體創作。

{ 優　　點 }

中心主題圖像很鮮明地表達春節購物的喜氣；在邏輯分類上，充分掌握同一位階、同一個類別屬性，例如「佈置」分成室外與室內，「服飾」分為**大人**與**小孩**；大致上都是以一個語詞的方式表達想法；在必須購買的類別上，也能以貼切的圖像標示重點所在。

{ 這樣調可以更好 }

雖然在邏輯分類上，這組的老師們有不錯的表現，但同樣有些地方可以再加強，例如「禮品」分成**婆家**、**娘家**與**朋友**。心智圖法在分類結構上講求同一位階最好是同一個邏輯特徵屬性，如果能先分成**親戚**與**朋友**，「親戚」再分成**婆家**與**娘家**會更好。從「親戚」與「朋友」或許還可以想到同事、鄰居等，更能滿足構思檢核表時「窮盡」的原則。

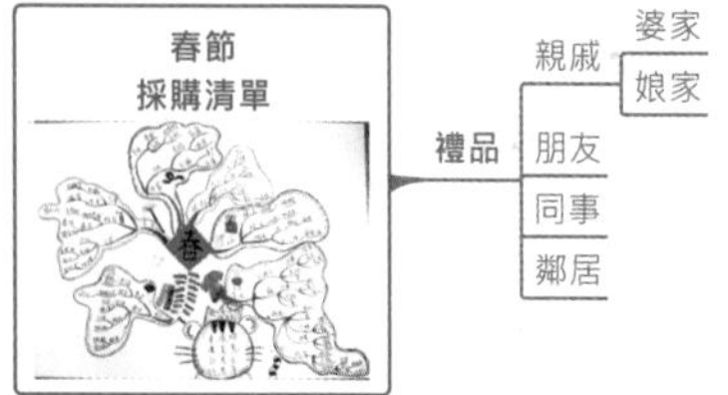

● **圖6-5f-2 採購清單：學員作品～案例解析建議**

檢核用途的心智圖，除了採購清單之外，只要應用到分類概念的場合，均可適用。例如圖6-5g是幾位從事保險工作的業務主管，以心智圖一起構思新人培訓時，針對公司「防癌保險」這項產品，該說明些什麼內容，才能讓新進人員很快掌握產品重點。

由於這幾位學員都是初次接觸心智圖法，且是利用課堂小組演練的短短30分鐘內完成，在邏輯結構上已經是可圈可點，但仍有些小地方可以改善。你有發現嗎？

● **圖6-5g 產品介紹～學員作品**

另外還有一點要跟大家補充說明，做為檢核用的心智圖，在重要地方能加上與內容有關的插圖當然是最好，但考慮到工作效率，不見得要花很多時間找插圖，也可以用螢光筆或星號標註，例如圖6-6a是我應邀到廣州演講，整理行李的攜帶物品清單心智圖。

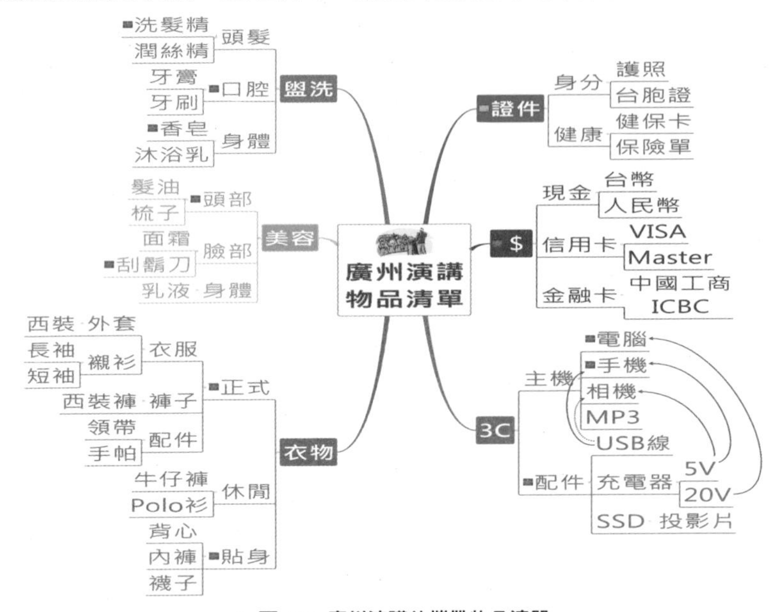

● **圖6-6a 廣州演講的攜帶物品清單**

由於網路科技的進步，各種雲端記事本、儲存空間的APP不斷推陳出新。但要規劃一份好用的線上筆記本，除了APP軟體提供的功能，最主要還得靠自己去定義資料夾的分類，否則資料檔案亂七八糟，每次都得靠搜尋功能去尋找，反而讓工作效率大大減低。

「互斥與窮盡」是一個很重要的資料夾分類原則，但在檔案總管條列式的結構中，常會發生重複或遺漏的情形。倘若能**以心智圖先做個分類規劃，在一張圖中掌握全貌，可以避免重複的情形發生；而有了清晰的分類結構，未來要增補細節也很方便，有利於窮盡的要求。**

圖6-6b呈現Evernote的記事本分類構思，透過這張心智圖不僅可以初步規劃好我的Evernote記事本，對於有關聯的記事本也可以利用Evernote「複製記事連結」的方式做連結，如果隨時要新增或修訂筆記本，看著這張心智圖也比較清楚如何著手。

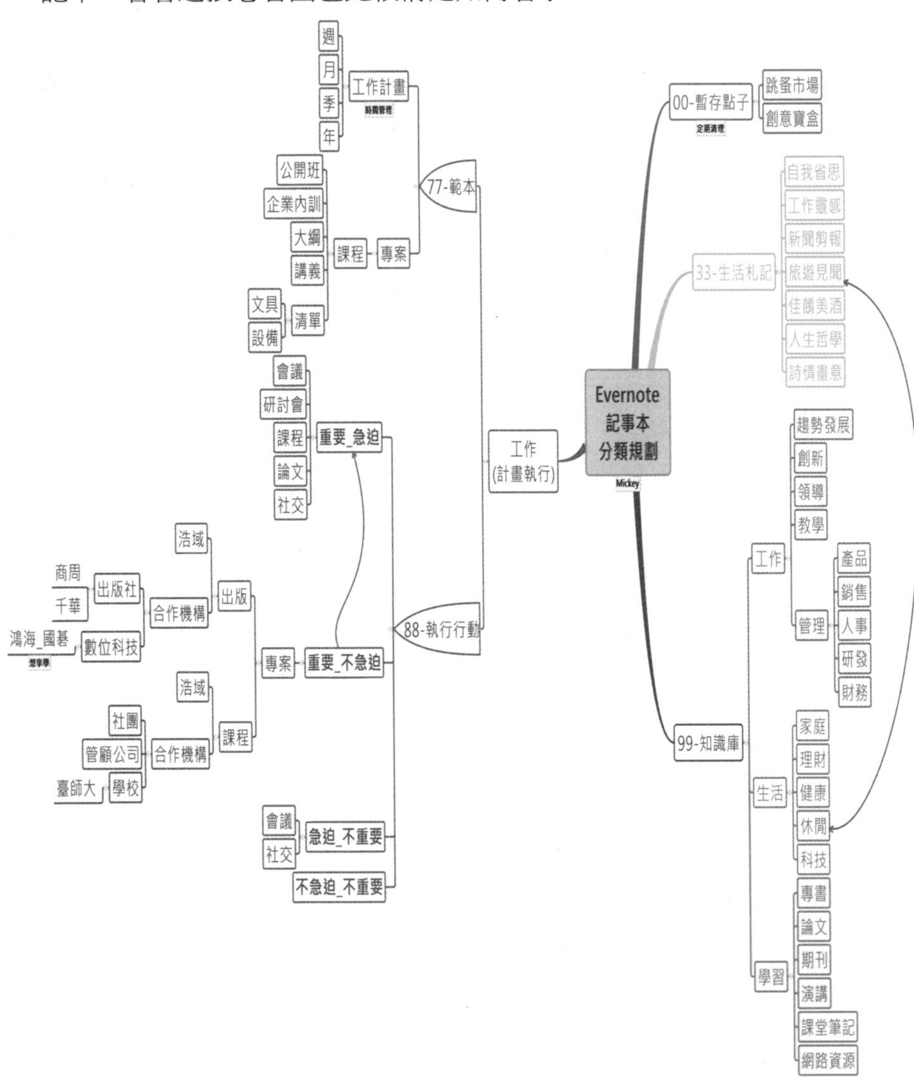

● 圖6-6b 工作檢核表：Evernote記事本的分類

第三節　專案管理的創新策略

準備參加專案管理師考試的人士，常見的困惑就是被五大流程中錯綜複雜的十大知識領域搞得頭昏腦脹。在《心智圖法理論與應用》第17章第3節中，已說明如何應用心智圖法釐清並掌握它們之間的關係；而在這本書，我根據PMBOK®的說明，以心智圖詳細列出五大流程須執行的十大知識領域內容，分享給準備應考的讀者，不僅有助於了解整體概貌，並能看出每個知識領域在不同流程階段所要執行內容的差異。例如圖6-7a中**起始**、**規劃**、**執行**、**監視及控制**、**結束**五大階段，每一階段都有「整合管理」（INTEGRATION），但其內容均有差異。

在本節當中，同時也將更進一步說明心智圖法在創新企劃的應用技巧。

創新企劃的思考模式

享譽國際的創新設計公司IDEO執行長提姆・布朗（Tim Brown）在他的著作《設計思考改造世界》中指出，一個腦袋靈光、具有設計思考能力的人，必須一方面不斷地在擴散性和聚斂性過程中移動，也能持續在分析與綜合之間來回。

所謂擴散性（或稱發散性）思考指的就是「創造選項」；聚斂性（或稱收斂性）則是「做出選擇」，關於更多關於擴散性和聚斂性思考的演練，請參考本書第二章第二節。

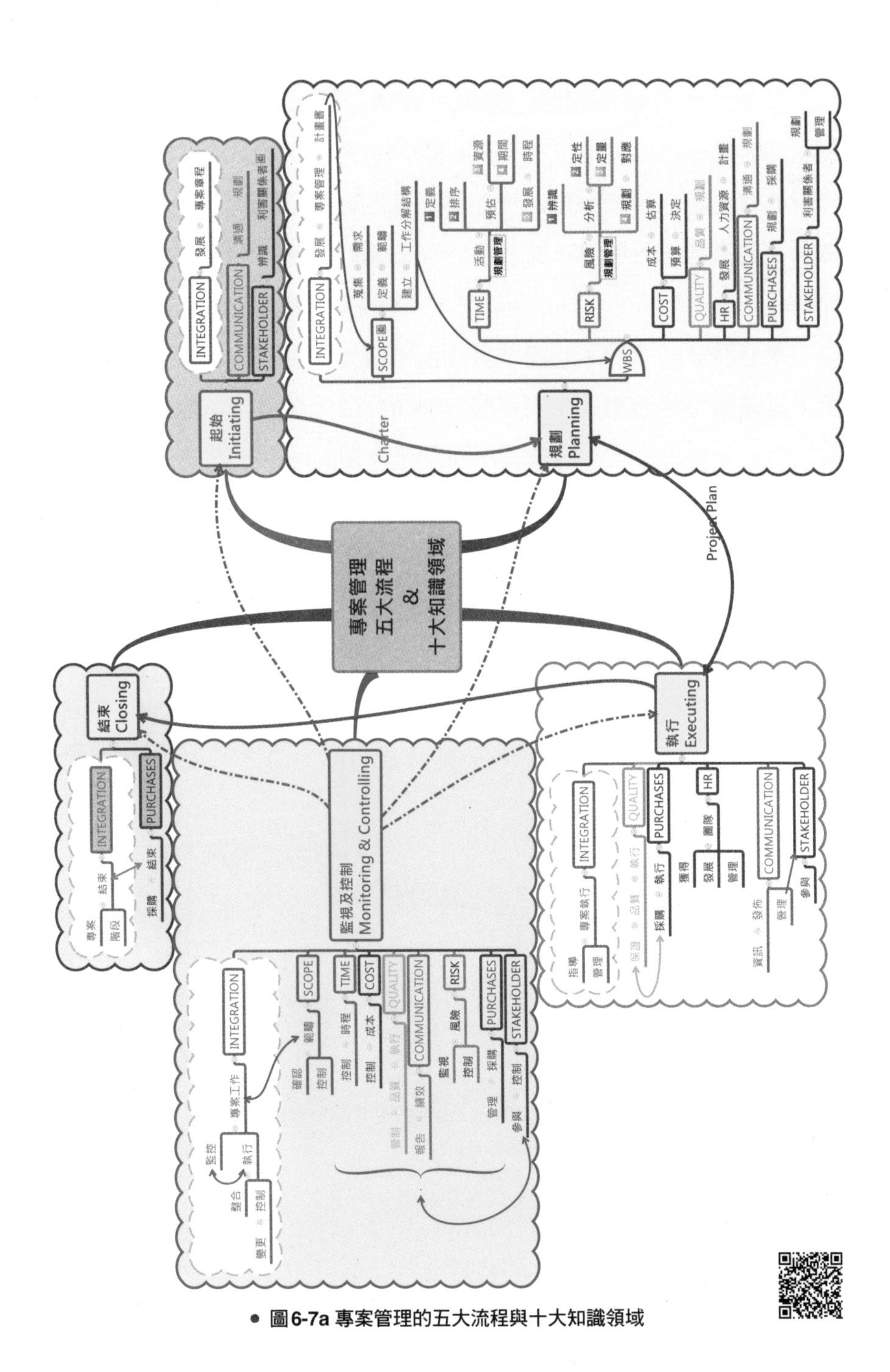

● 圖6-7a 專案管理的五大流程與十大知識領域

分析性思考是將複雜的問題，透過分析工具一一拆解、仔細觀察；綜合則是從大量的原始資料歸納出有意義的模式，也就是將如碎片般的概念組合起來，創造出整體概念的行動計畫，在創新的過程中特別需要這種思考能力。關於這方面的基礎演練，請參考第二章第一節的說明。

現在我們以專案管理規劃階段中的「範疇管理」（SCOPE）為例子，以邏輯思考常用的5W2H做為架構，每一項目都採取先擴散再收斂的模式，為大家說明心智圖法在創新企劃的應用。

【步驟一】

從目的（WHY）這個類別先擴散出許多想法，再收斂出「公益募款」、學習「同理心」與「書本」廢物利用這三項。

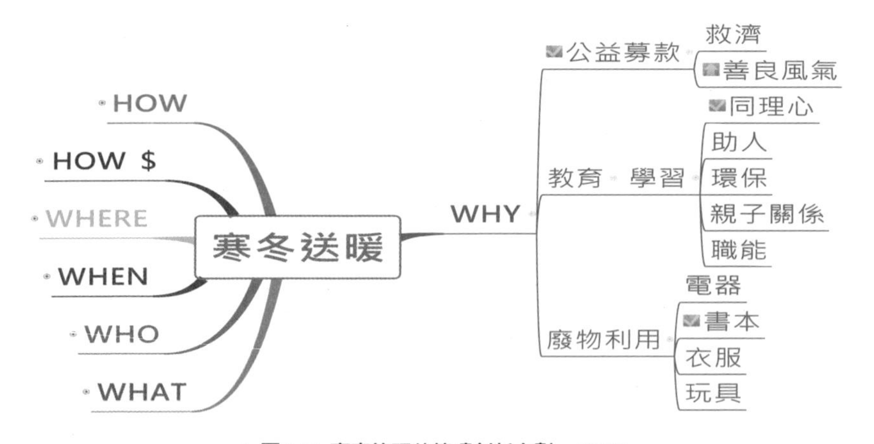

● 圖6-7b 專案管理的範疇創新企劃～WHY

【步驟二】

根據步驟一所收斂的項目——「寒冬送暖」這個活動，聚焦在公益募款、學習同理心與書本廢物利用這三項目的，思考為了達成這些目的，得有哪些活動（WHAT）。同樣的也是先擴散再收斂。

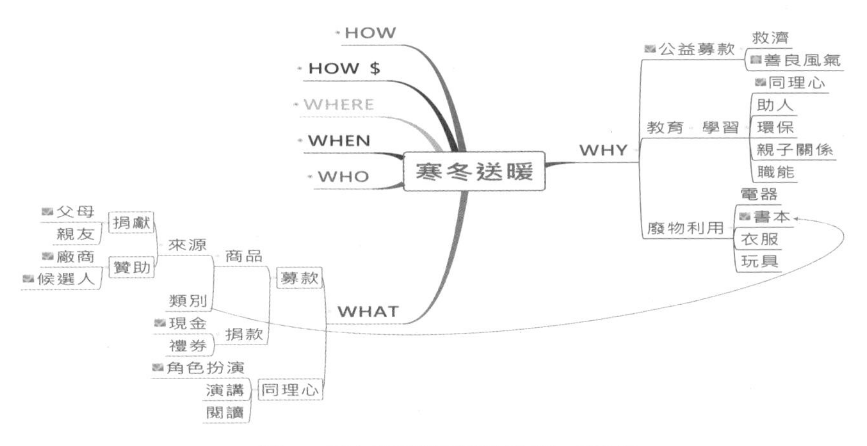

● 圖6-7c 專案管理的範疇創新企劃～ WHAT

【步驟三】

為了執行步驟二所收斂的活動項目，接下來思考人力的規劃安排（WHO）、在什麼時候（WHEN）、什麼地點（WHERE）與經費（HOW MUCH）等。同樣也是先擴散出各種選項，再收斂出比較適當的項目或排出優先順序。

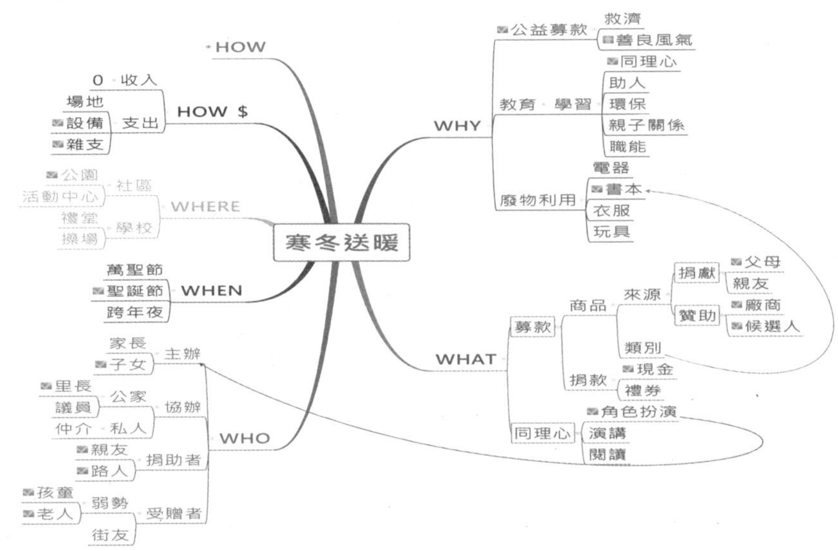

● 圖6-7d 專案管理的範疇創新企劃～ WHEN、WHERE、WHO、HOW MUCH

【步驟四】

最後是做法（HOW）。如果是一個比較單純或不複雜的活動，在這個步驟可以發想出許多如何搞定經費、人力安排、場地租借佈置與規劃、時間調度、活動執行等做法，再收斂比較合適的幾個做法（圖6-7e）；如果碰到的是大型專案，在此僅略述做法即可，接下來就進入專案規劃中更加複雜的工作分解結構（WBS）步驟。

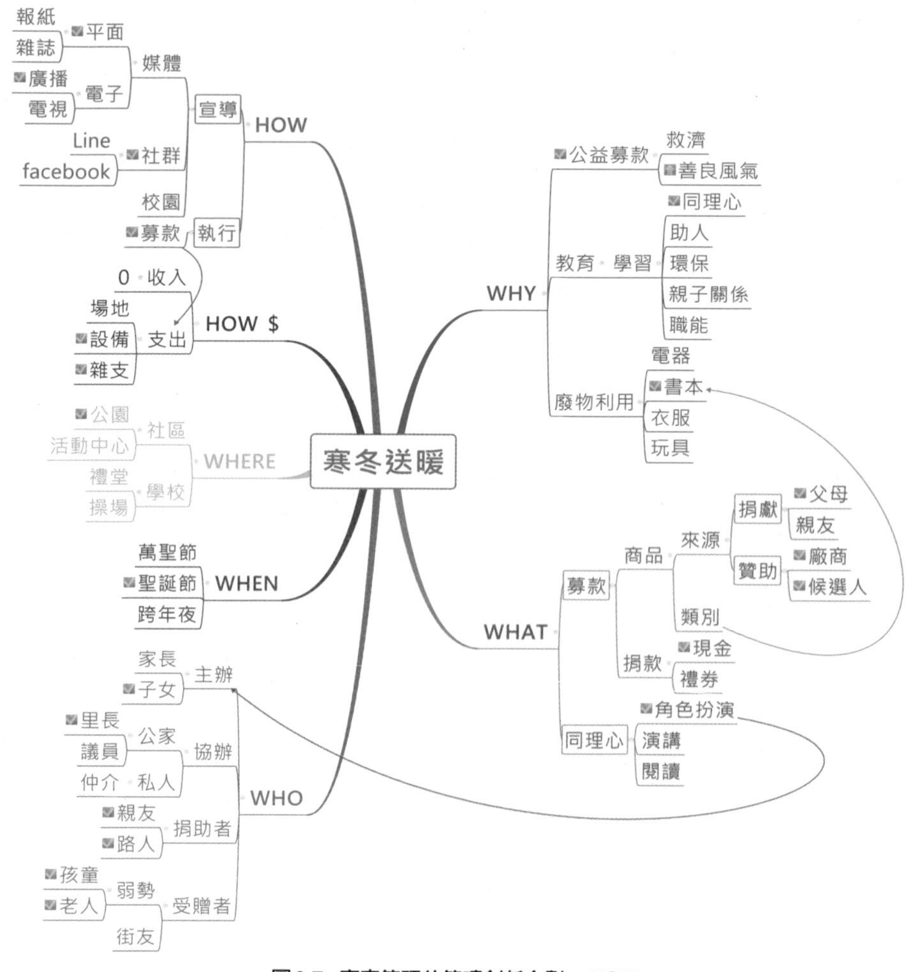

● 圖6-7e 專案管理的範疇創新企劃～HOW

案例分享

● 圖6-7f-1 專案管理的範疇創新企劃～案例分享：畢業典禮

圖6-7f-1是幾位幼稚園老師一起構思，希望能夠辦一場不一樣的畢業典禮，讓活動更加活潑有趣，為畢業生與家長留下一個美好的回憶。於是大夥拿出紙筆，以心智圖畫出許多富有創意的點子。

{ 優　　點 }

中心主題的小小畢業生圖像，讓人馬上融入幼稚園畢業活動的情境當中；在5W2H的邏輯分類與展開擴散思考廣度上，皆有不錯的表現。

{ 這樣調可以更好 }

這是屬於創意思考的心智圖，必須確實掌握一個線條上寫一個關鍵字（語詞）的原則，以開啟更多思考的活口。例如「WHAT」中「靜」之下的「學習檔案」，可以改成檔案、學習，而從「檔案」以水平思考想到**競賽**；「動」之下的「串場」、「魔術表演」，可以改成**魔術**、**表演**，再從「魔術」延伸出**教學**等，如圖6-7f-2。

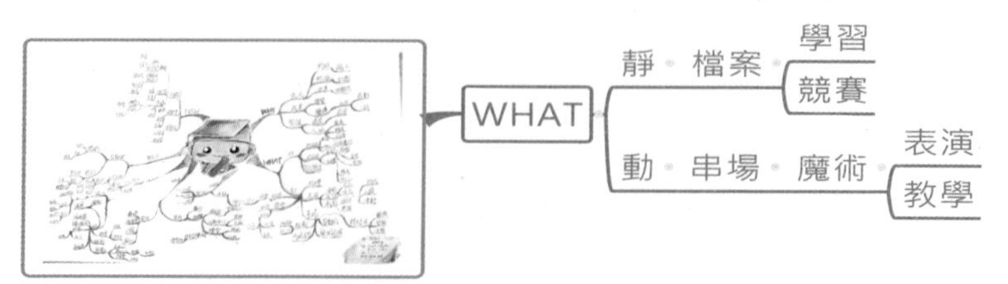

● 圖6-7f-2 專案管理的範疇創新企劃～案例解析建議

案例分享

● 圖6-7g-1 專案管理的範疇創新企劃～案例分享：謝師宴

圖6-7g-1是幾位14歲的學生一起構思「謝師宴」活動。一般人看到像這樣充滿美感的心智圖，第一個反應就是：「哇，好棒！」是真的嗎？我們一起來看看。

{ 優 點 }

這張心智圖確實漂亮，將老師臉部素描畫在中央當作主題，整個畫面充滿感謝與歡樂的氣氛，有助於腦力激盪時的創意發想；在大類的選擇上，以十幾歲的小朋友而言，基本上尚稱完整，並且能用到網狀脈絡的技巧，指出「準備物品」與「費用」之間的關係。

{ 這樣調可以更好 }

腦力激盪時的創意發想，必須掌握先擴散再收斂的原則，這幾位小朋友並未做到這點，在每一大類別之下只寫出單一選項。顏色的使用要遵循功能在於區辨不同類別與表達感受，如果覺得「準備」這一類用草綠色比較恰當，後面的氣球、汽水、彩帶、點心也都要用草綠色，除非將這四項再分成「飾品」、「飲料」與「食物」，才可以使用不同顏色來進行區分，如圖6-7g-2所示。

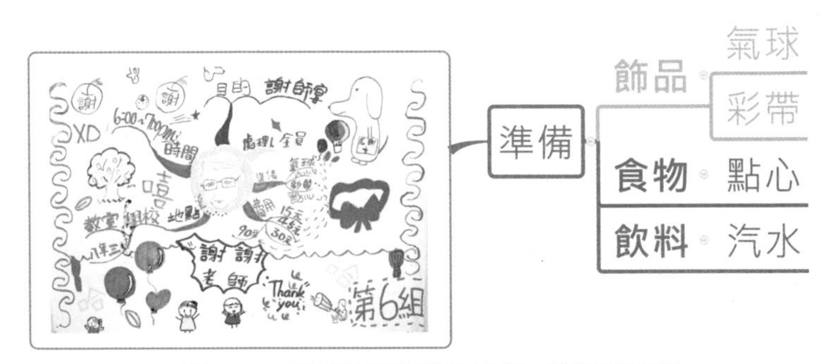

● 圖6-7g-2 專案管理的範疇創新企劃～案例解析建議

看到這裡，或許會有不少讀者產生一種疑惑，籌劃一個專案內容何其複雜，採用這種手繪心智圖的方式可行嗎？在回答這個問題之前，請先釐清你的目的是什麼？如果希望跳脫思想的限制，達到顛覆式或跳躍式的創新構想，以手繪心智圖的方式較佳；若是依循特定模式或標準作業流程，那麼以電腦軟體繪製心智圖才有效率。

圖6-7h是我們講師班學員卓克羽先生，以心智圖規劃準備參加「雲端系統CLOUD⁺」認證考試的案例，他向我表示有了這張心智圖，讓他在忙碌的工作中仍然可以從容的準備考試，結果當然是順利通過。

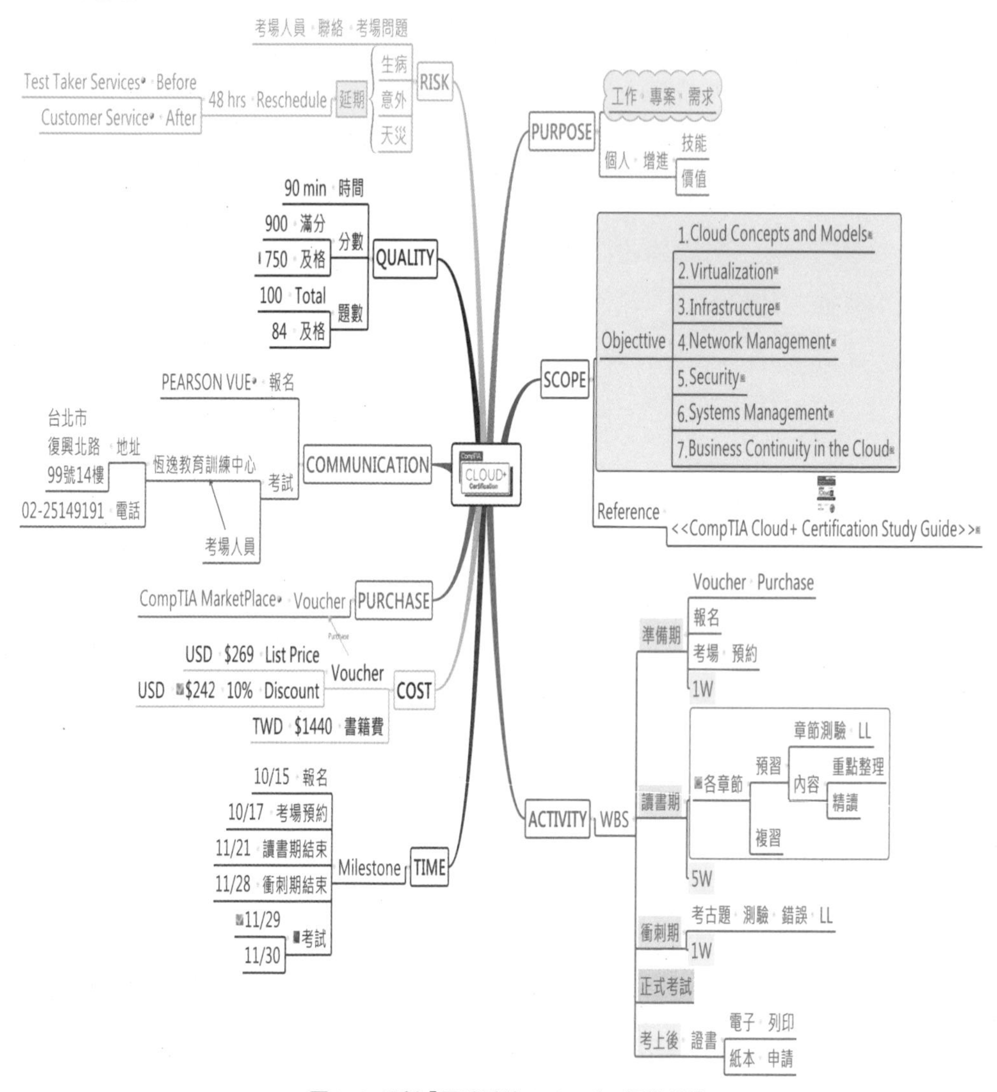

● **圖6-7h 規劃「雲端系統CLOUD⁺」認證考試**

第四節　創意問題分析與解決

傳統上用於問題分析與解決的工具，最常見也最實用的是魚骨圖。在分析問題原因時，魚頭方向是向右（圖6-8a），向左則是針對不同問題或造成問題的原因提出解決方案（圖6-8b-1，圖6-8b-2）。

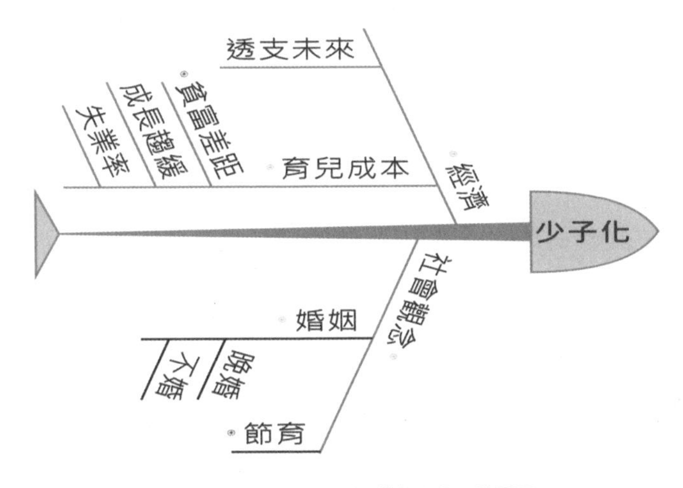

● 圖6-8a 魚骨圖：分析「少子化」的原因

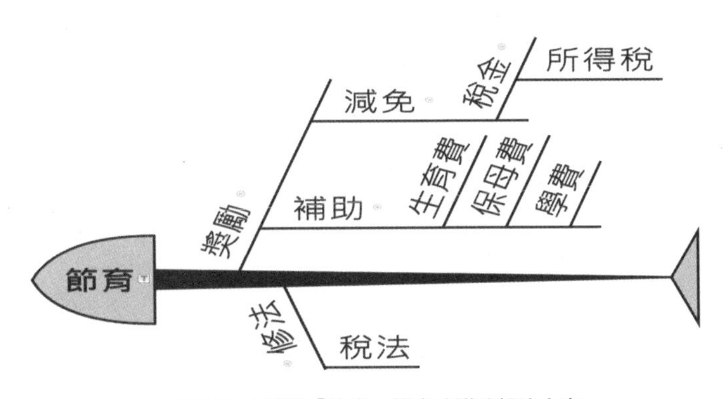

● 圖6-8b-1 針對「節育」提出建議的解決方案

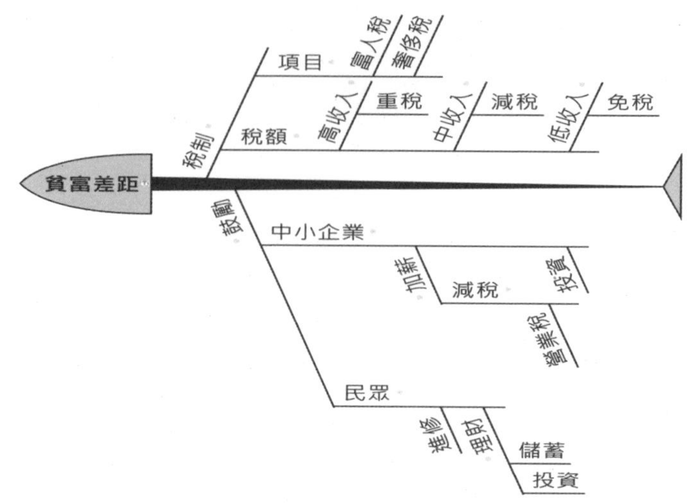

● 圖6-8b-2 針對「貧富差距」提出建議的解決方案

問題分析與解決的各個階段與執行內容，會因不同的理論觀點或實務應用的場合而略有差異，但可歸納為：❶發現各種問題與確認關鍵問題；❷分析關鍵問題產生的原因；❸針對問題的原因提出各種解決方案；❹決定解決方案的優先順序；❺解決方案的策略分析、計畫與實施；❻實施進度的追蹤與成效評估等六個階段。

傳統做法在第一步驟是採用條列式筆記進行腦力激盪，列出各種可能的問題。

員工旅遊可能出現的問題

- 遲到
- 生病
- 超支
- 迷路
-
-
-

第二步驟以向右的魚骨圖分析造成問題的原因。

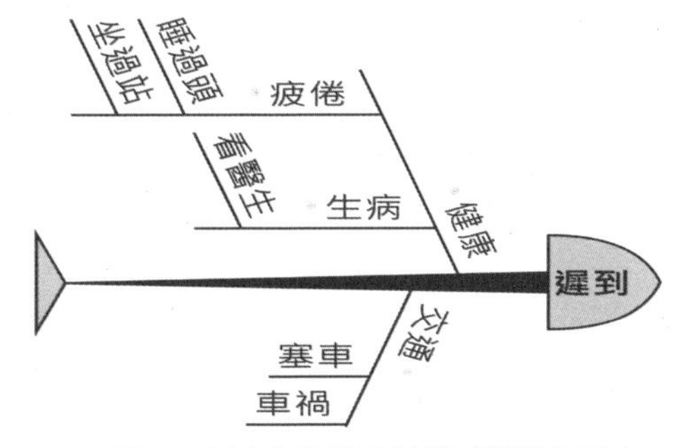

● 圖6-9a 以向右魚骨圖分析造成問題的原因

第三步驟以向左的魚骨圖擬出解決問題的方案。

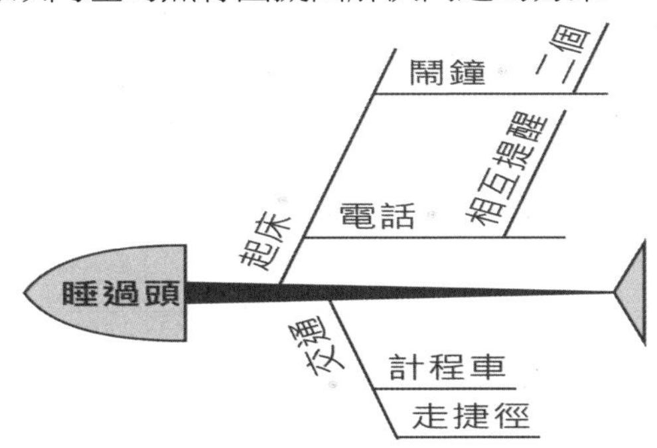

● 圖6-9b 以向左魚骨圖擬出解決問題的方案

魚骨圖是品管圈常用的工具，由於結構講求層次分明，在特性要因的分析上有其優點。但是一個問題往往會由許多原因所造成，針對同一個原因可能會擬出很多個解決方案。因此，我們必須畫很多張向右的魚骨圖來分析各個問題成因，也必須畫更多張向左的魚骨圖來擬定解決方案，在這種情況下我們的思維會越來越複雜。

若能以心智圖來整合問題、原因與解決方案，不僅能保有魚骨圖的功能，還可以在一張紙上一目了然地掌握全貌，看出不同類別或主題之間的關係，以及相互的關聯性，讓腦袋更加清晰，進一步刺激想法的產生，也讓我們的提案更具有說服力。這對於跨專業、跨組織部門的溝通協調更具功能性與重要性。

但**在心智圖當中如何分辨問題、原因與解決方案呢？這時候應用的技巧是使用顏色來做區分。**

不過和前面介紹的文章筆記、專案管理……等應用場合，同一個樹狀結構採用能代表那一類別概念的顏色有所不同，這裡是**讓不同的顏色出現在同一個樹狀結構中，分別代表問題、原因與解決方案。**例如圖6-9c以灰黑色代表「員工旅遊」可能碰到的問題，紅色代表可能會造成「遲到」的原因，綠色則是針對不同原因提出建議的解決方案。

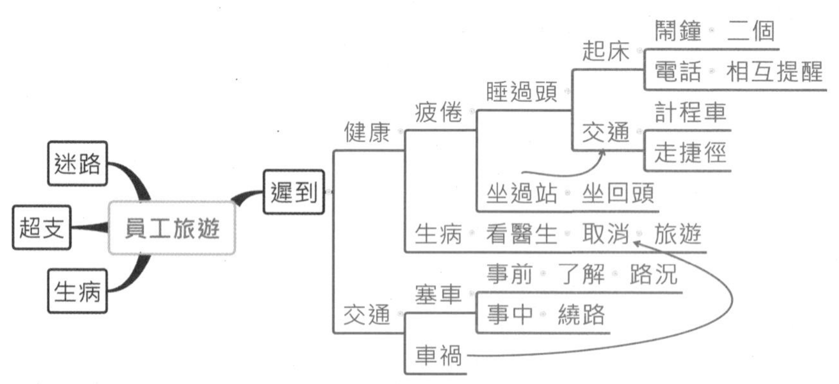

● **圖6-9c 以一張心智圖掌握問題分析與解決方案的全貌**

牛刀小試

請以「少子化」為題目，根據圖6-8a與圖6-8b-1、圖6-8b-2的內容，以心智圖統整造成少子化的原因與提出解決方案。

〔參考範例在第222頁〕

大家應該還記得，心智圖法很重要的一個原則就是邏輯分類。教育專家一直強調，分類能力是智慧的基礎；管理大師也不斷呼籲，問題沒有適當的被分類，找不到合適的解決方案。因此，**訓練分類的能力，是提升解決問題能力的基本功。**

那麼該怎麼訓練分類能力呢？由於這是一種邏輯思考訓練，不是自由聯想，所以必須根據某種情況或條件，決定某樣東西可以怎麼被分類。例如要將「魚」分成三類，可以有哪幾種分法呢？我根據**體型**、**食物**、**環境**與**性別**四個條件，在每一個條件之下都分成三種。你會如何分類呢？

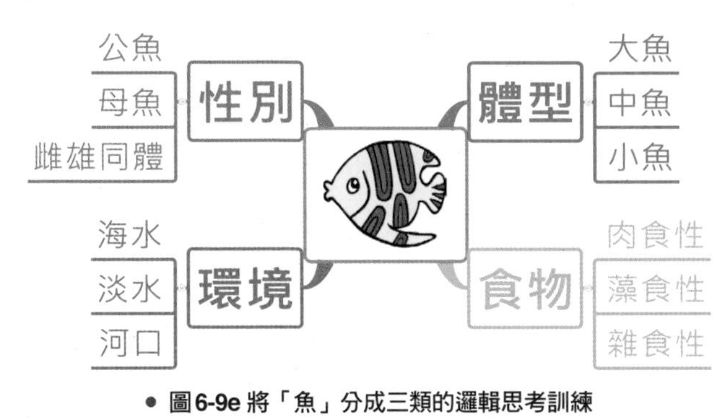

● **圖6-9e 將「魚」分成三類的邏輯思考訓練**

這是一個很棒的邏輯遊戲，平常可以找些題目，例如「汽車」、「老師」、「電腦」等，多多練習，訓練自己的思考能力喔！

牛刀小試

接下來請你以「書本」為題目，在主幹寫上你設定的條件或狀況，支幹則根據上位階的條件或狀況分成三類。加油囉！

第五節　時間達人的工作規劃

明明自己能力也不錯，每天卻被排山倒海而來的工作壓得喘不過氣，加班加到快要過勞死，工作績效卻不見起色。這時大多數人往往會開始懷疑自己是不是時間管理沒做好。

究竟該如何做好時間管理呢？

事實上，時間管理的策略與工具很多，從抽象的目標設定、釐清優先順序、排除干擾……到具體的使用記事本、智慧型行動裝置、行事曆應用程式等。近年來由於心智圖法逐漸被廣泛應用在工作職場，有越來越多人以心智圖做為時間管理的工具，但如果只是改用心智圖取代傳統行事曆格式來記錄工作事項（圖6-10），其實無法發揮心智圖「法」的功能，頂多只是視覺上看起來有點酷炫而已。

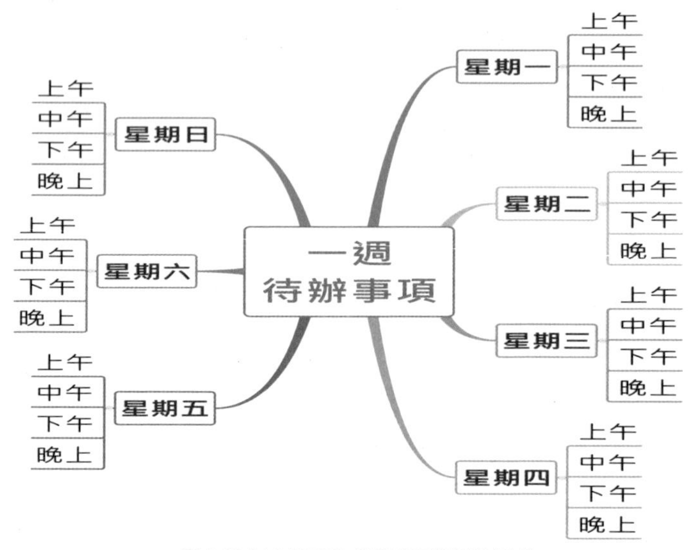

● 圖6-10 以心智圖取代傳統行事曆的格式

我們都知道「時間」是一項非常特殊的資源，時間是無法管理的，要管理的是「工作項目」。

面對許多待辦事項，我們應該先花一些時間思考，每項工作的目標是什麼？工作內容是什麼？需要用到哪些資源（包括時間、人、場地、設備……等）？它的優先順序、輕重緩急？心智圖法在時間管理的應用及功能，在於有效地組織工作項目，依照任務目的或工作性質的屬性予以分類，不但能有效運用相關資源，也讓大腦可以更專注在工作本身，時間能被充分有效的使用。

為避免掛一漏萬，**心智圖法在時間管理的應用技巧，是先採用擴散思考，盡可能將待辦事項都寫出來，接著以收斂思考決定優先順序與時程安排**。其步驟與內容如下：

一、擴散思考階段

先不考慮工作項目預計在何日何時做，只要分門別類列出「必須」做，以及「想要」做的事情。（圖6-11a）

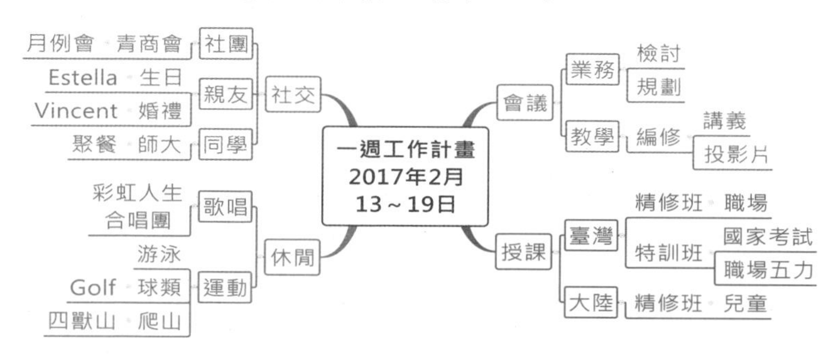

● **圖6-11a 分類列出必須做和想要做的事情**

二、收斂思考階段

1. 確認哪些事項在這段期間必須完成，並在心智圖中標示出來，若有必要還可以思考一下它們的優先順序。

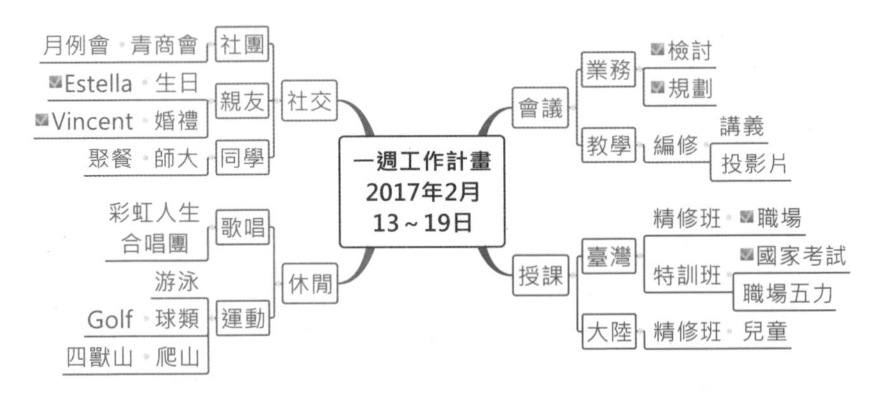

圖6-11b 標示出一定要做的事項

2. 在必須完成的諸多事項中，針對執行時間已經確定的事項，在其項目之後把時間填上。

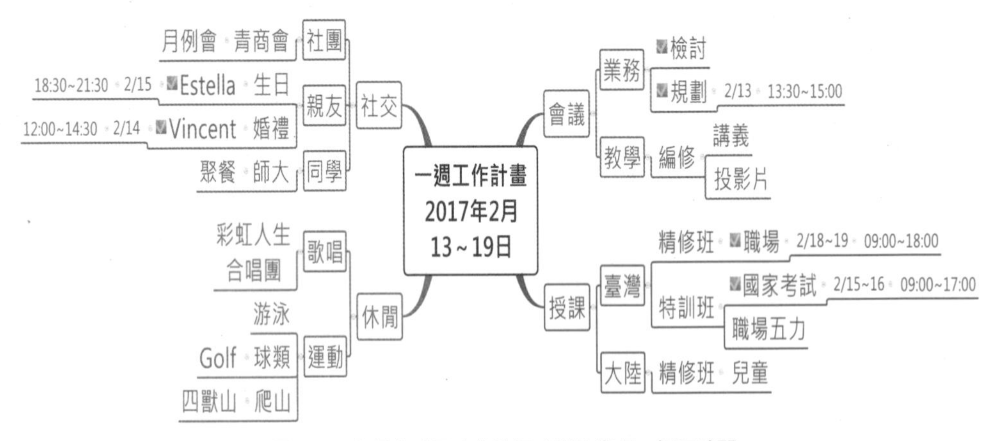

圖6-11c 必須完成且確定執行時間的事項～標示時間

3. 把必須完成且確定執行時間的事項填到行事曆。（圖6-11d）

4. 檢視行事曆空檔時間，把必須完成但執行時間有彈性的事項，根據任務性質、所需資源等因素安排到合適時段（圖6-11e）。例如參與業務檢討會議與業務規劃會議的成員是同一批人，大家既然都從各地分公司來到總公司參與業務規劃會議，就緊接著召開業務檢討會議，可以節省同仁的交通時間與費用。

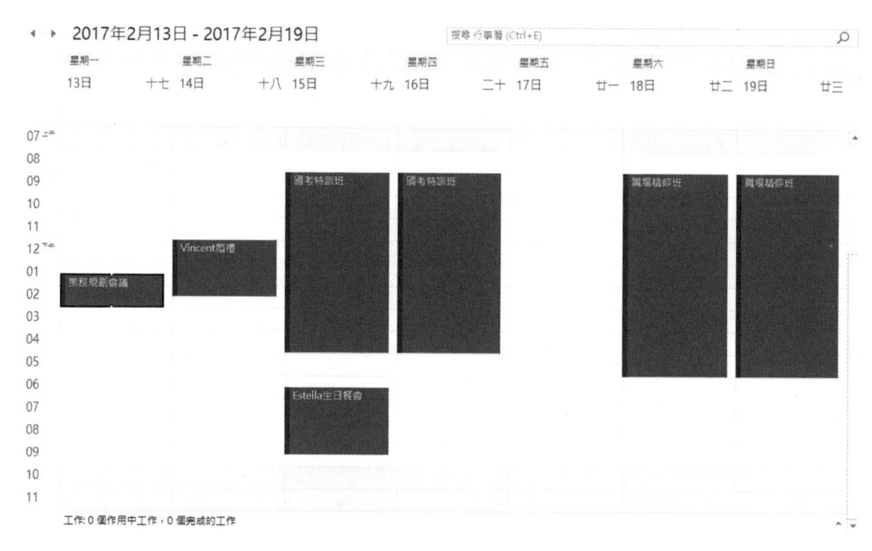

● **圖6-11d 在行事曆填上必須完成且確定執行時間的事項**

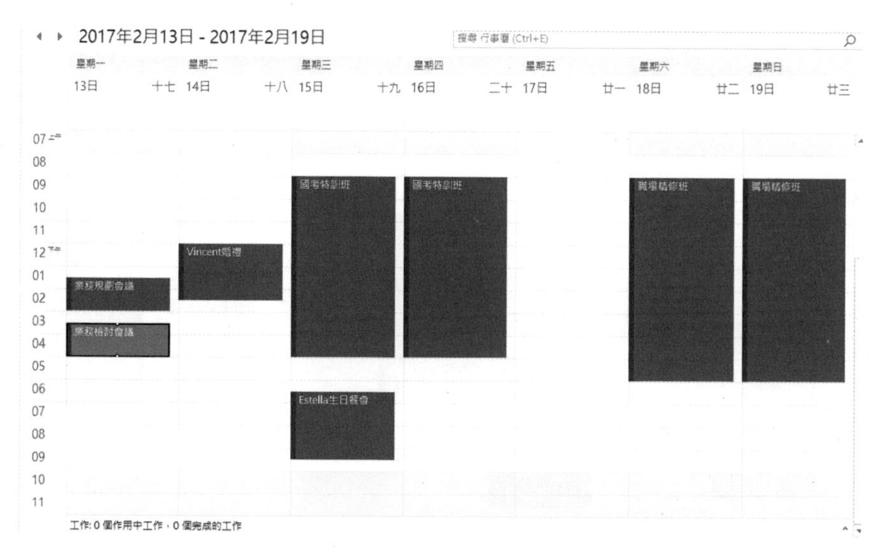

● **圖6-11e 在行事曆填上必須完成但執行時間有彈性的事項**

5. 在必須完成以外的，亦即想要做的事項中，將時間已經確定的，在心智圖當中的項目之後把時間填上。

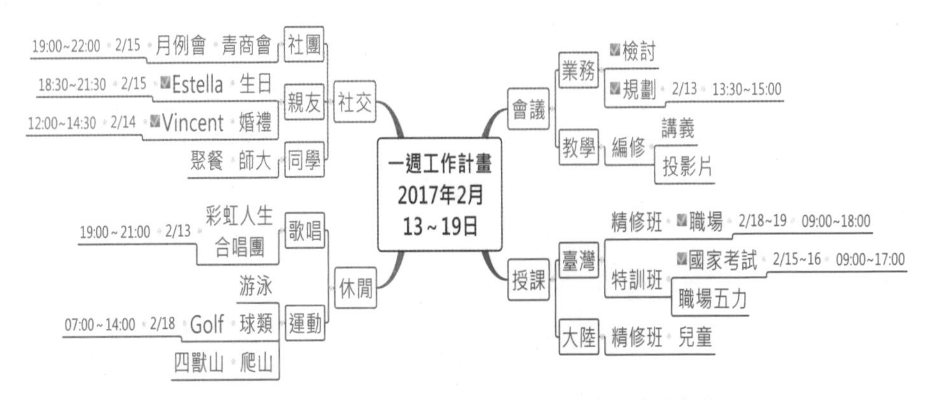

● 圖6-11f 在心智圖中填上想要做且時間已經確定的事項

6. 把想要做、確定執行時間，和須完成事項時間沒有衝突的，填到行事曆。例如2月18日的高爾夫球活動與必須做的職場精修班課程時間衝突，2月15日的青商會月例會也和Estella的生日餐會衝突，只好放棄打高爾夫與月例會，剩下彩虹人生合唱團的練唱可以成行。

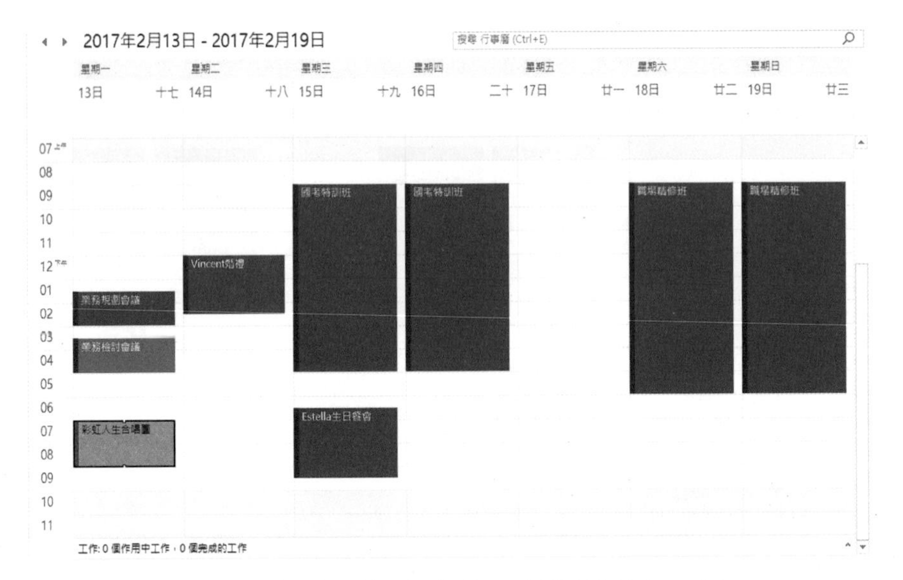

● 圖6-11g 在行事曆當中填上想要做且執行時間是確定的事項

7. 最後，把想要做且時間有彈性的事項，同樣先考量其任務性

質、所需資源等因素，再安排到合適的時段。

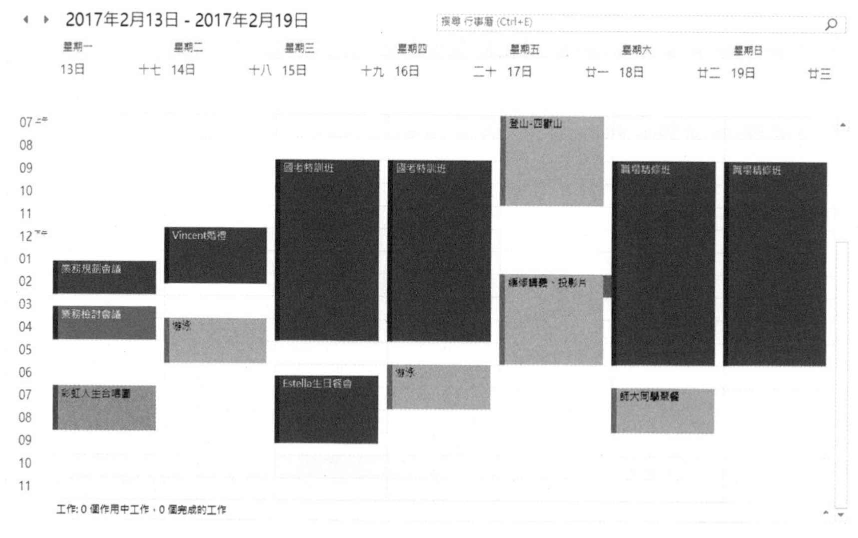

● **圖6-11h 在行事曆填上想要做且時間有彈性的事項**

第六節　會議溝通討論與記錄

會議時以心智圖來記錄大家發言的內容重點，比起閱讀文章時的心智圖筆記更具有挑戰性，主要原因是講話或投影片的內容，在聽覺與視覺的停留時間很短暫，其順序與邏輯結構也不是我們能完全掌控，在這種極短時間的情況下，我們不可能鉅細靡遺的記錄所有的內容。因此，會議記錄的心智圖只要掌握有意義或重要的關鍵詞即可。

邏輯思考有分析與綜合兩種模式。在會議場上，根據會議的目的、討論方向和內容，可分為根據主題由會議主席訂出討論方向的分析模式，以及由參與者自由發言再歸納的綜合模式，或者是混合上述兩種模式等。以下就「既定方向的分析模式」與「自由發言的綜合模式」，為大家做個簡單說明：

一、既定方向的分析模式

2015年9月台灣智慧光網網路部門為了討論電源備援系統切換問題，負責該項作業的工程師以PowerPoint進行簡報，專案經理卓克羽以心智圖記錄並引導專案成員進行討論。

會議開始之前，卓經理先將此次討論主題「備援切換」的目的、時間與地點相關內容寫在白板上（圖6-12a）。

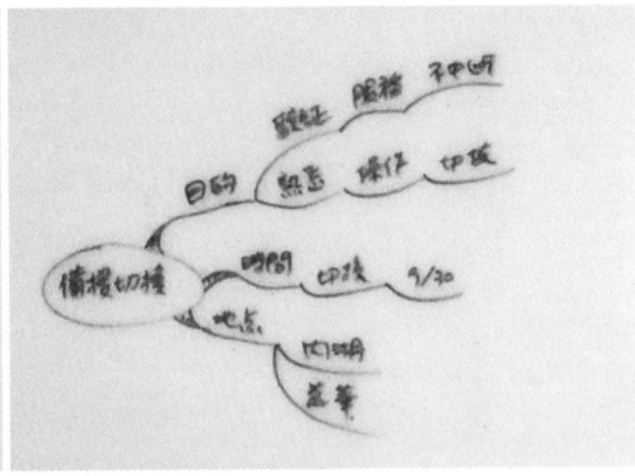

● 圖6-12a 以心智圖列出討論的主題與相關內容

會議進行時，卓經理立即將同仁報告的內容重點，記錄到心智圖中合適的地方。

● 圖6-12b 將同仁報告的內容重點整理到心智圖

負責的工程師以PowerPoint報告完畢後，根據卓經理所整理的心智圖，繼續與同仁討論更深、更廣的相關事項，並在心智圖中增補細節。

● 圖6-12c 根據心智圖的內容繼續與同仁討論並增補細節

會議結束，將白板上所整理的心智圖以電腦軟體整理後歸檔，做為企業內部知識管理的檔案資料。

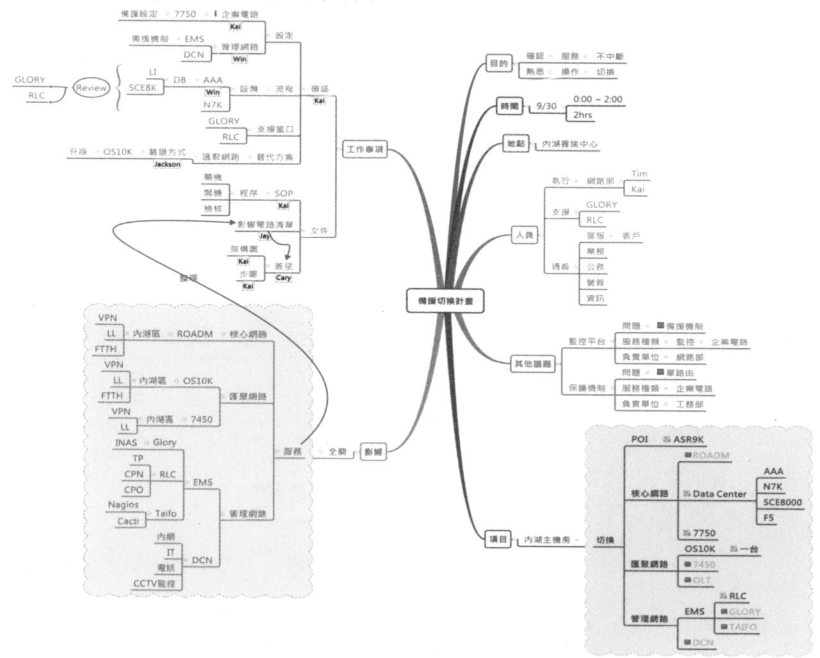

● 圖6-12d 根據會議討論的結果以心智圖軟體整理歸檔

二、自由發言的綜合模式

如果遇到只有主題，例如「困惑」，但未設定討論方向的情況，只要先將大家發言的重點內容，擷取關鍵字，以Bloom的結構全部記錄下來。在過程中，發現有類似或相同的概念，若時間允許便可加以整合。

例如從圖6-13a中發現「人際」、「人跟人」滿類似，便將兩者的內容整合在一起，如圖6-13b。

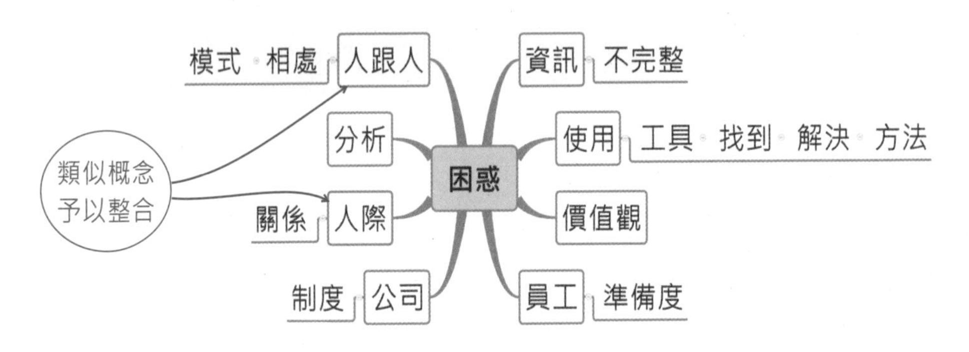

● 圖6-13a 將發言的重點內容以Bloom的結構展開

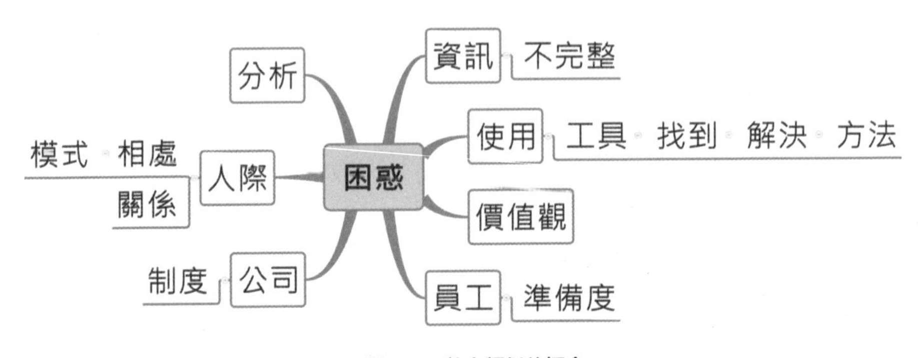

● 圖6-13b 整合類似的概念

但是如果大家發言非常踴躍，這時候暫時不要去想發言內容的邏輯結構、從屬關係，只要以Bloom的方式繼續將想法記錄下來（圖

6-13c），等意見發表到某一個數量之後，再統整成更具有邏輯層次結構的心智圖，如圖6-13d。

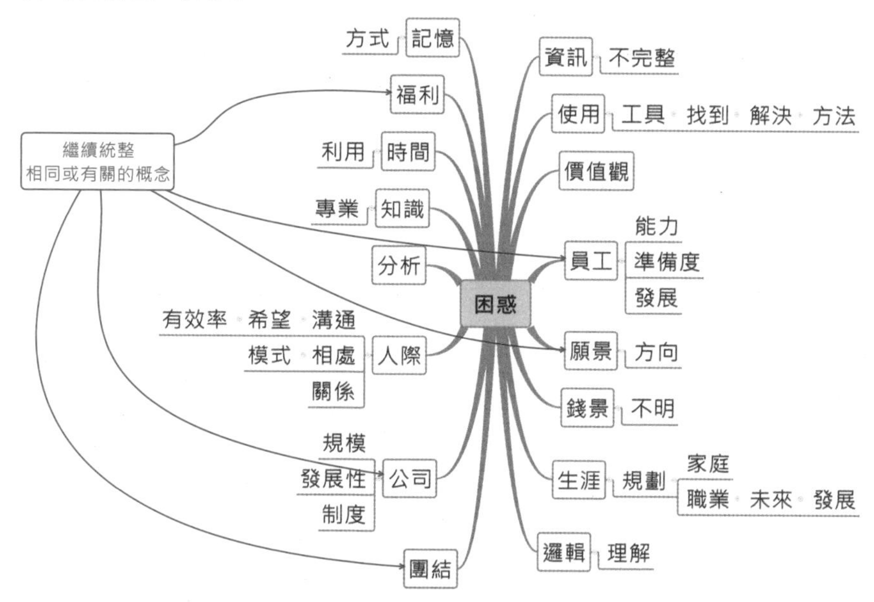

● 圖6-13c 以Bloom的方式繼續將踴躍發言的內容記錄下來

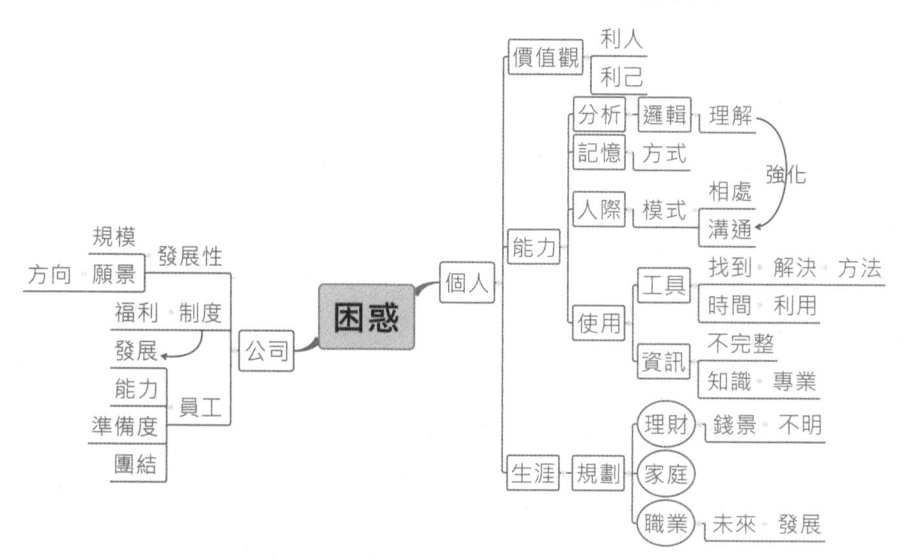

● 圖6-13d 統整成更具有邏輯層次結構的心智圖

職場五力成功方程式

惠普科技前資深副總經理 陳國欽
（孫易新心智圖法®2001年師資培訓結業）

2000年，我在擔任惠普科技產品經理時，工作內容十分複雜，含括產品、價格、通路、行銷、活動等多種面向。當時覺得事情多，時間不夠用，再怎麼加班也做不好，因此上網搜尋可以提升大腦思考能力，迅速把各種事情條理化、結構化，並且有效能運轉的課程。在發現「孫易新心智圖法」受到網友諸多推薦後，我立刻上網報名孫老師所開的訓練課程，一路鑽研到取得講師資格。

說起心智圖法對我的幫助，最直接的就是思考力大幅提升。本來寫一份企劃書要兩天，還遺東漏西的；學會心智圖法之後，只要兩小時就可以搞定，而且非常精準到位。心智圖法最寶貴的地方，就是可以迅速整合出複雜事情的脈絡。

這一路走來，因為大量使用心智圖法，累積了許多職場相關的知識模組——思考、企劃、銷售、溝通、領導，這五大類知識管理讓我在職場上所向披靡、無往不利，就連現在轉換跑道當講師，也都是靠心智圖法架構及整合課程的邏輯層次。

孫老師是華人心智圖法的先驅大師，我的目標則是成為心智圖法的職場應用達人，所以除了在浩域企管舉辦「心智圖法：職場五力特訓班」，透過上課與學員分享多年來應用心智圖法的知識體系之外，同時也在商周出版《職場五力成功方程式》這本書，希望全面弘揚心智圖法，幫助更多人樂在工作，成為各領域職場達人。

成功者的DNA

富邦金控資訊部門主管 簡仲良
（孫易新心智圖法®2010年師資培訓結業）

2006年準備國際專案管理師（PMP）證照考試時，見到參考書籍將厚達300多頁的官方用書，用心智圖整理出書中內容重點，讓我更容易理解吸收並順利取得證照。那是我第一次接觸心智圖。

由於對心智圖的深刻印象，取得證照後，在好奇心驅使下，我回頭蒐集資料，購買書籍自修。但雖然經常練習與使用，卻總覺得有些應用上的盲點無法突破，於是報名參加孫易新老師開辦的課程，開始邁向學習與探索心智圖法之路。

我在職場從事資訊相關工作已經23年，旁人眼中的我是一個會思考、有邏輯的人。但老實說，專業領域也許如此，一旦跨出專業之外，我只是個常常陷在框框內思考的阿宅。在向孫老師學習心智圖法後，猶如打通任督二脈，突破心中的疑點與腦中的盲點，再加上課後不斷持續練習，將心智圖法運用在生活與工作中，不僅使我的思考更全面，在事情處理與溝通上也更為順暢圓融。

現在心智圖法對我而言，不再只是工具、方法而已，早已成為DNA、血液的一部分。就如同刷牙、洗臉和吃飯一樣的自然，對我的改變與幫助極大。

近年來，我結合專業技術、職場實務經驗與管理理論，積極推廣心智圖法在職場的實務應用，冀望能協助職場工作者提升思考、分析、提問、解決與整合的能力，在職場工作上不再窮忙。感謝孫老師的無私引領，讓我認識心智圖法，也鼓勵大家一同來學習。

結　語

歷經三十的使用心得、二十年的教學經驗與研究成果，我將源自於西方世界的心智圖法，經過不斷的改良與深化，至今不僅已被許多公司、甚至跨國企業採用，各級學校也紛紛導入做為老師教學輔助工具與學生的學習方法。我在心智圖法領域的歷程堪稱從「Mind Mapping」到「Mind Mapping^{+}」。

為了回饋更多有心學習心智圖法的讀者，我所創立的「孫易新心智圖法®」培訓機構，非常樂意安排專業講師前往各機關、學校、社團等單位演講、授課，協助培訓有心從事心智圖法教學的專業講師。

同時，也竭誠歡迎有志共同推廣心智圖法的教育機構與我們攜手合作，共創美好的未來！

〔聯絡資訊〕

臺灣地區免付費洽詢專線：0800-322-999

電子郵件信箱 service@MindMapping.com.tw

 官網 www.MindMapping.com.tw	 微信 WeChat
 facebook：孫易新心智圖法	 新浪微博：心智圖法_思維導圖

Q＆A常見的困惑與解答

Q：我不太會畫圖，心智圖法可能不適合我吧？

A：這可從兩個方面來回答。

1. 我們要學習的是心智圖「法」，這不是一堂畫畫課，教的是思考模式，不是繪圖技巧。過去有太多人誤解心智圖一定要畫得美美的，使許多不擅長畫圖的人為之卻步，實在非常可惜。其實不用擔心圖畫得不漂亮，只要掌握心智圖法的原則與精神，可以採用電腦軟體來輔助繪製；想要手繪的話，用簡單的插圖標示重點位置及聯想內容即可滿足需求。甚至真正心智圖法的高手，根本不需要畫心智圖，直接就可以在腦海中浮現心智圖。
2. 如果真的很想增進自己手繪心智圖的能力，可以參考市面上簡筆畫的書籍，或報名參加各大學進修推廣部、社區大學等機構所舉辦的插畫班、鉛筆畫班，一期三個月下來功力必可大增。

Q：一定要加插圖嗎？

A：圖像可以增加美感，提升視覺化的效果，在心智圖法中運用插圖的目的，是要凸顯重點所在，以及幫助記憶重點。如果你的心智圖不要求這兩個功能，即使全部都是文字的心智圖有何不可？別忘了，心智圖是我們工作或學習時的工具，千萬別掉入追求「美美的心智圖」的迷失。

Q：用電腦軟體還是手繪心智圖比較好？

A：以電腦軟體整理心智圖筆記，和手繪心智圖，各有優點與限制。運用軟體繪製心智圖可以省卻塗改的麻煩，並可隨時增加、刪減資訊或調整結構，對內容理解有很大的幫助；不過針對內容的記憶，手繪心智圖比用電腦軟體效果好太多。以下簡單整理兩者的優點與適用場合：

手繪心智圖

【優點】只要有紙筆，隨時隨地可繪製；輕鬆愉快、無拘束地擴展思緒；對內容產生深刻的印象。

【適用場合】手邊沒有電腦時；創意發想、腦力激盪；需要記憶心智圖內容。

電腦軟體繪製心智圖

【優點】可隨時調整心智圖的內容結構；可以採用超連結方式指出不同概念、甚至不同心智圖之間的關係；方便心智圖檔案的管理。

【適用場合】整理大量資料的筆記；文獻資料的統整；專案管理、問題分析等。

Q：心智圖的內容太多怎麼辦？

A：如果你想要繪製一張令人驚豔的心智圖，或者純粹整理資料，把很多的內容放進一張心智圖中，是可以被接受的。但如果想要藉由心智圖釐清大量的訊息或記憶內容，建議以電腦軟體繪製，同時一張心智圖只要涵蓋一個小主題就好，彼此有關聯的概念，再以超連結指出彼此的關係。倘若有需要記憶的部分，針對它再以手繪心智圖的方式強化效果。

Q：我試著用心智圖整理讀書筆記並記憶，但還是記不住？

A：造成的原因很多，你可以檢視以下幾個部分略做調整：

1. 內容是否太多。

應用於記憶的心智圖筆記必須掌握米勒（Miller）教授magic 7±2的原則。也就是一張心智圖涵蓋的類別，以七類以內為原則，最多只能九類，最好是五類以內。如果內容真的很多，建議將幾個有關聯性的類別，另外再整理成一張心智圖。

2. 分類結構與因果關係是否正確。

邏輯有誤時，不但無法正確理解，也影響記憶效果。

3. 是否加了插圖協助記憶。

檢查在重要資訊的地方是否有加上插圖，以及其意涵能否跟內容產生連結。

除了從上述三個方向作檢核之外，平常也要多練習身體掛勾的空間記憶技巧和故事聯想的情節記憶技巧。

Q：心智圖和概念圖、魚骨圖有什麼不一樣？

A：先說它們一樣的地方，心智圖、概念圖與魚骨圖都屬於視覺化的圖解思考工具，能幫助我們掌握事物的分類概念或釐清因果關係，所以都可以做為心智圖法的工具。差別在於，心智圖融入了色彩、圖像，並強調從中心向四周發散，對於創意發想和內容的記憶，效果會比概念圖與魚骨圖更好。

Q：腦袋一片空白，不知該如何著手，怎麼辦？

A：從完形心理學的觀點來說，人的大腦有趨向完整或整體性的傾向，因此，請在你認為需要增加想法的地方，畫出幾條空白的線條，它們會刺激大腦試圖去填滿它的。

Q：突然有個想法出現，但不知道該放在心智圖中的哪個位置，怎麼辦？

A：暫時不要管原本的心智圖，先把突然出現的想法，另外快速地整理成一個心智圖，以免漏接可能是極有價值的點子，等後續再思考可以怎麼整合在一起。

〈附錄—❷〉

心智圖軟體操作簡介

市面上可以找到很多好用的軟體繪製心智圖，其中，Xmind與iMindMap是我最常用的兩套，尤其Xmind不僅可以將心智圖「法」的功能發揮到淋漓盡致，又免費提供給社會大眾無限期使用，所以在這個單元以它做為範例，按步驟教大家如何操作。

不過，由於這些心智圖軟體的操作介面、功能，會隨著版本不斷更新而有所異動，本書僅略述其版面樣式與幾個主要的操作。若想更進一步了解Xmind這套軟體的操作與應用，可以透過「想享學」網路學習平台，我在上面提供了一系列心智圖法的單元供大家學習，網址是：https://www.xiang-xue.com/member/67

一、軟體簡介與下載網址

在諸多心智圖軟體中，Xmind屬開放原始碼軟體（Open Source Software）的自由軟體，提供免費下載使用，因此普及率非常高，廣泛受到心智圖法愛好者所採用。

- **Xmind下載網址｜ http://www.xmind.net/downloads**

Xmind除了具備完整繪製心智圖的功能之外，同時包含魚骨圖、組織圖、樹狀圖、邏輯圖、二維表格等結構，非常適合做為心智圖法的工具。這套軟體還有一些附加功能，例如錄音、腦力激盪、自動簡報、顯示甘特圖、匯出PDF格式、Word文件、PowerPoint簡報檔案等，不過使用這些功能必須付費，如果覺得有需要可以上網購買。

- **Xmind訂購網址｜ http://www.xmind.net/pricing**

二、操作簡介

新增檔案

開啟Xmind軟體的執行檔或點擊桌面Xmind的快捷圖示，進入選擇範本的頁面。由於我們是要繪製自己的心智圖筆記，不會用到它所提供的各種範本，只要在「空白」頁面點擊想要的架構，就會開啟一個全新的心智圖檔案。例如我選擇「平衡心智圖（順時鐘）」。

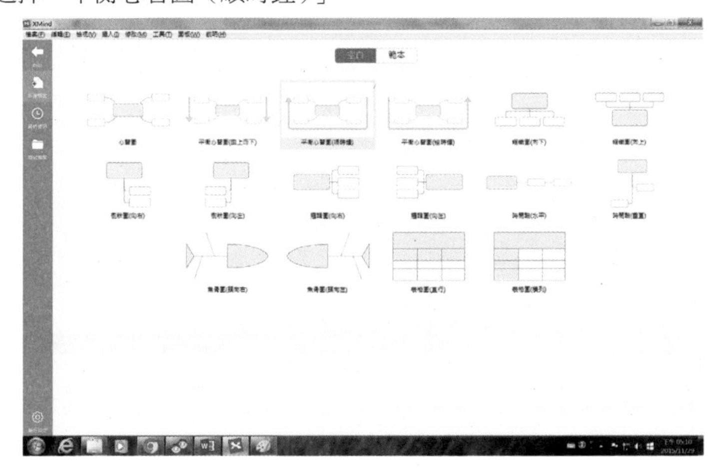

接著會出現「選擇風格套用」的畫面，你可以挑一個符合需求的樣式。例如我選擇「復古」。

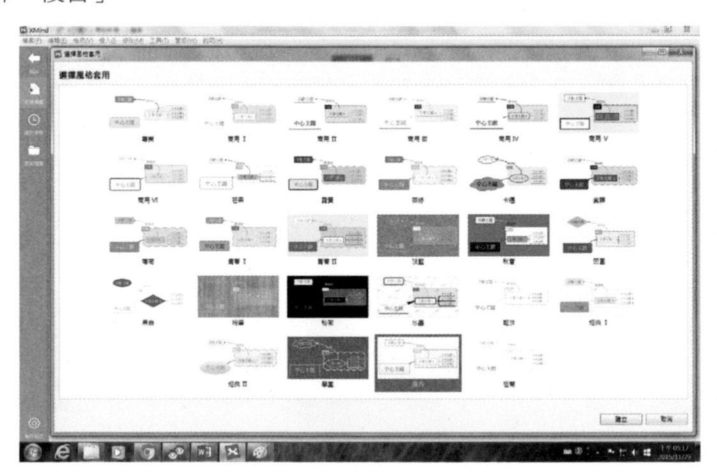

心智圖編輯要點

【編輯文字】

雙點擊「中心主題」，或點選它，然後按 F2，進入文字編輯模式。我打上「國際青年商會」，按 Enter 即完成文字輸入。

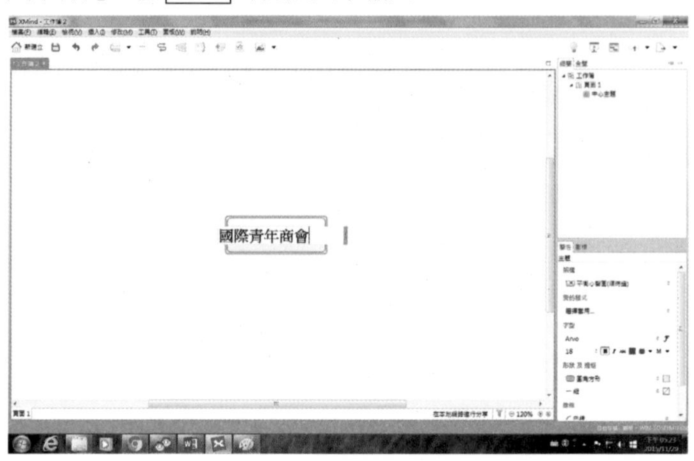

【變更主題背景顏色】

由於 Xmind 7「中心主題」與第一階的預設樣式是圓角方形，且底色是淡黃色，雖然能增加美感，但也可能帶來暖色系的暗示，不一定符合我們的需求，所以可以改成自己想要的顏色。從右邊「屬性」、「形狀及邊框」點選色塊，就會出現修改顏色的色盤。我選擇變更成白色。

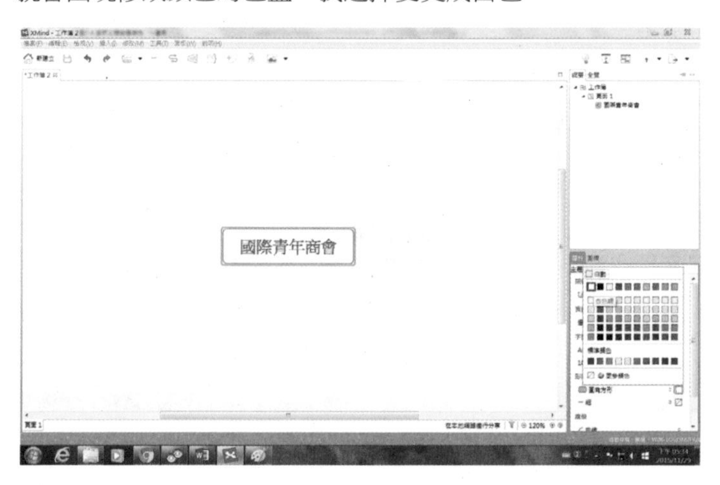

【主題文字換行】

如果文字太長需要換行，只要將游標移到要換行的文字位置，按 Ctrl ＋ Enter 或 Shift ＋ Enter 即可完成換行動作。

【增加下一階或同一階的內容】

按 Insert 或 Tab 鍵，都可以從所選擇的主題往下增加一階，然後輸入文字內容。按 Enter 鍵，可以在所選擇的主題增加同一階的內容。

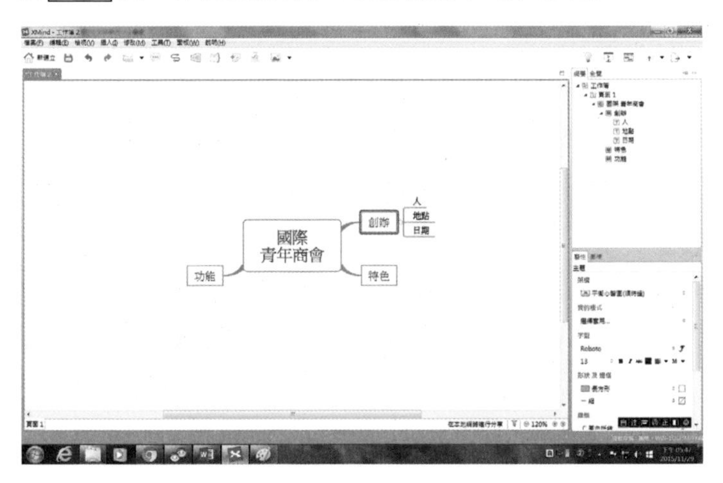

【變更主題外形樣式】

這套軟體在復古風格的中心主題預設形狀是圓角方形，展開後的第一階是長方形，第二階以後則是底線。如果想改變任何一個的外形，只要在「屬性」、「形狀與邊框」，點選形狀的下拉框，就可以選擇我們所要的形狀。例如我將創辦的形狀改成雲朵。

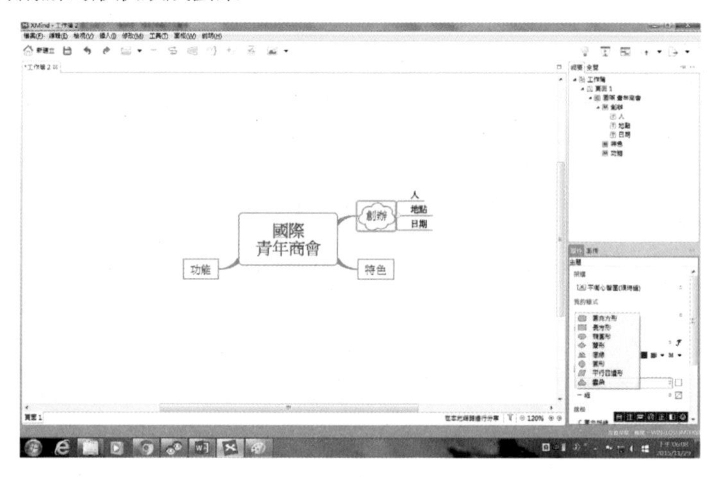

【變更線條顏色】

由於線條預設值是灰色的，但心智圖法強調透過顏色表達我們對某個類別、主題或概念的感受性，以強化對內容的記憶，因此我們必須根據不同類別、主題去修改線條顏色。

先點選要修改線條的最上位階，然後在「屬性／線條」點選色塊，出現色盤後，選擇你要的顏色。如果色盤上沒有你要的顏色，可以點擊「更多顏色」，就會出現更多的選擇與自行定義，操作方式與一般繪圖軟體相似，在此不多贅述。

線條色彩依據個人的感受，選擇適當顏色做出變更之後，不但可以更有區辨性，且能表達我們對該主題的情緒感覺。當你在思考該用何種顏色表達某個主題時，就已經進入一種深層的主動思考歷程，對於內容的記憶有相當大的幫助。

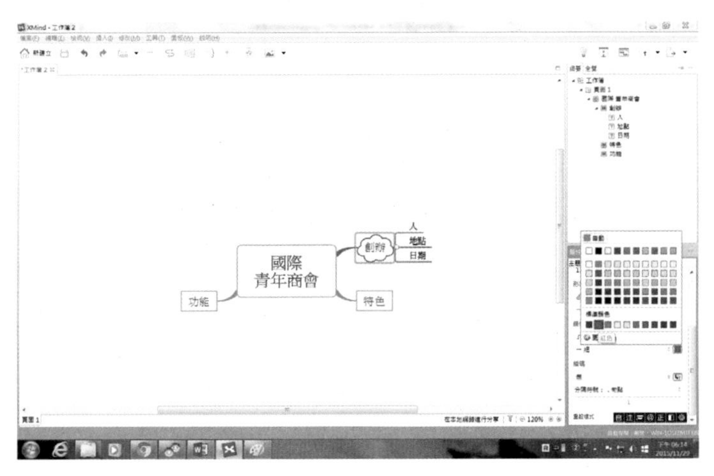

【變更文字顏色】

選擇要改變顏色的主題，然後點選「屬性／字型」的色塊，從出現的色盤中，選擇你要的文字顏色。如果在色盤中沒有符合的顏色，只要點選「更多顏色」，就會出現調色盤，讓你有更多的色彩選擇。

如果按照心智圖法的規則，文字與線條必須是相同顏色，這在手繪時當然沒問題，但是透過電腦螢幕閱讀心智圖，文字若選用顏色較淺的鵝黃、天空藍、淺綠等，是不容易閱讀的，建議一律採用預設值的灰黑色字體，閱讀起來比較清晰，至於要透過顏色表達感受性的部分，就以線條色彩來呈現。

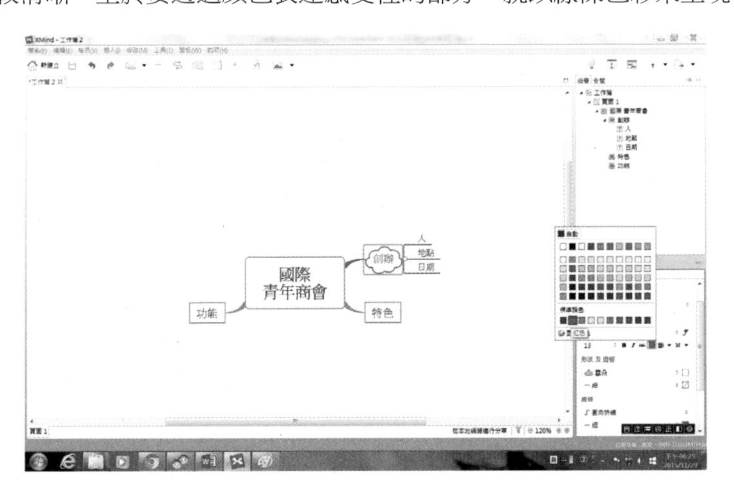

【加入插圖】

選擇想插圖的主題，然後點選上方功能列中「圖片」的小圖示，在下拉框中選擇「圖片／來自檔案」，程式就會自動出現「選擇圖片」的對話框，只要依照檔案總管的路徑模式，選擇所要插入的圖檔，點選「開啟檔案」，即可將圖檔插入。

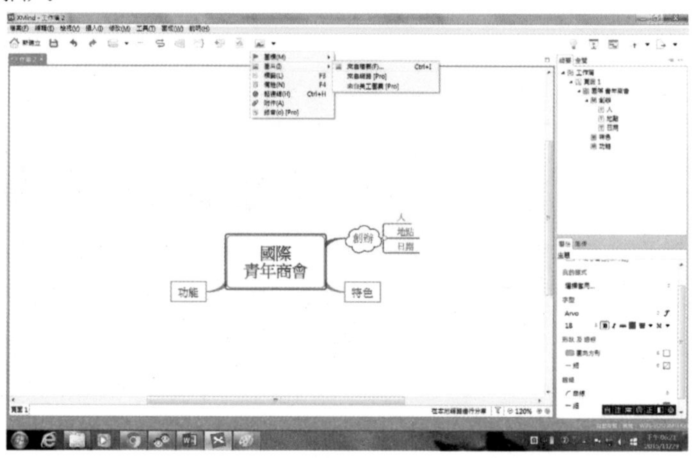

【完成插圖】

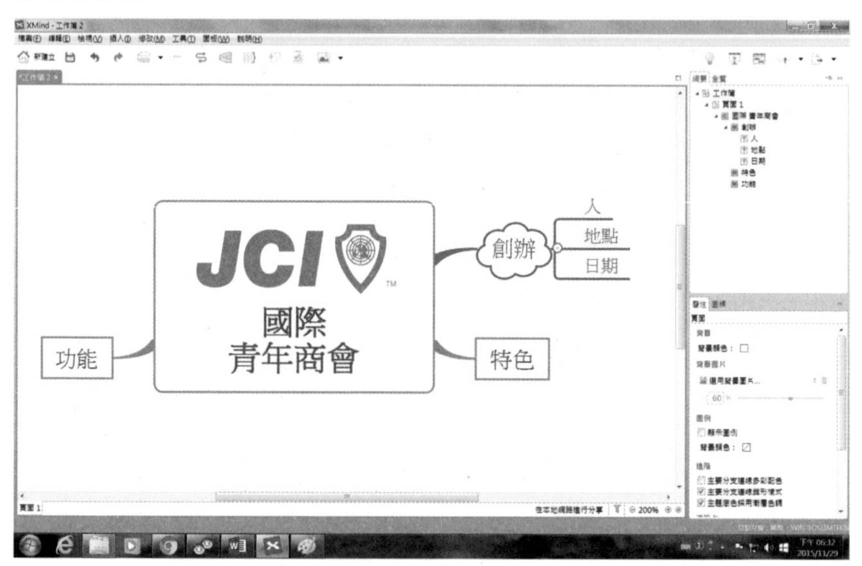

參考範例

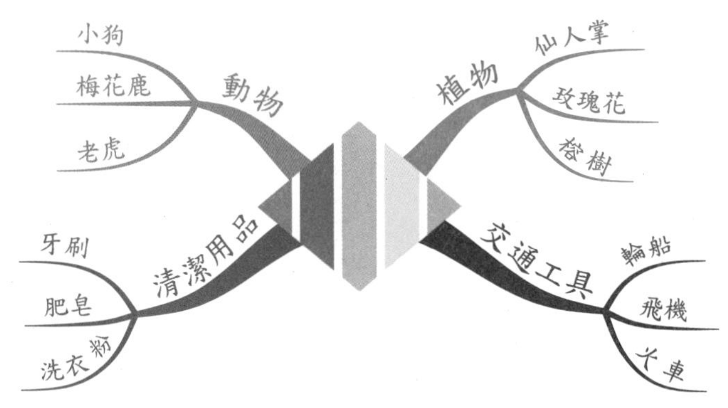

● 圖2-2 依據特徵的分類（1）～自己動動手（參考範例）

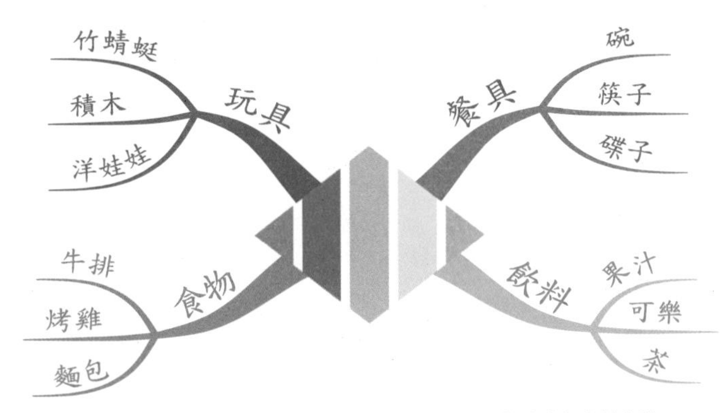

● 圖2-3 依據特徵的分類（2）～自己動動手（參考範例）

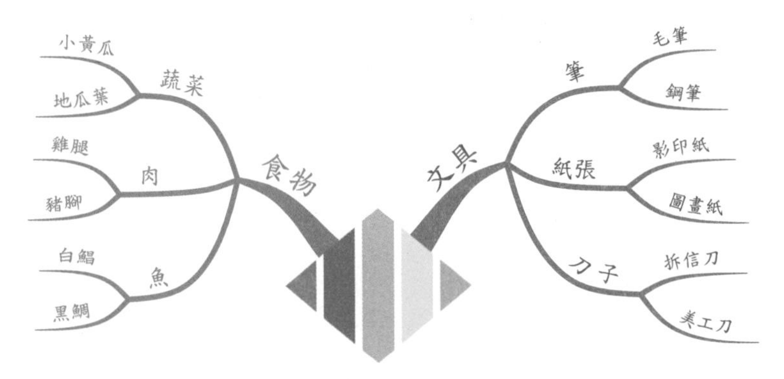

● 圖2-4 依據特徵的分類（3）～自己動動手（參考範例）

● 圖2-7b 題目：「婚禮」根據需求分類的心智圖～自己動動手（參考範例）

● 圖2-8b 水平思考的邏輯聯想～自己動動手（參考範例）

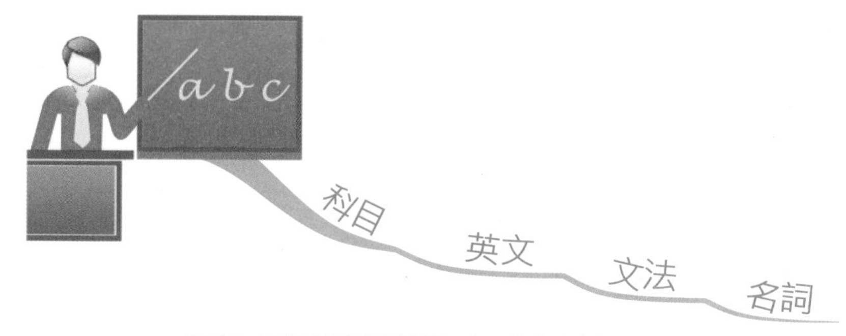

● 圖2-9b 垂直思考的邏輯聯想～自己動動手（參考範例）

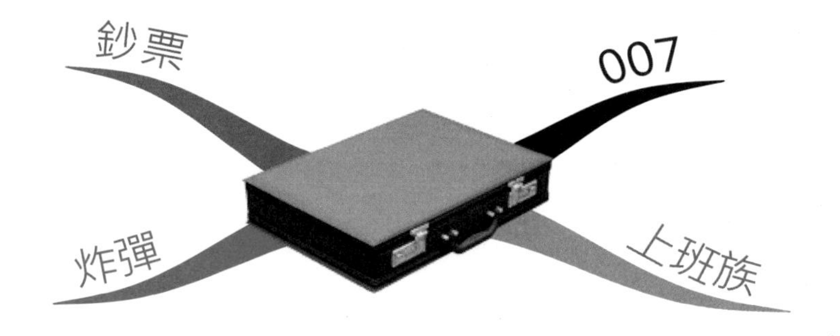

● 圖2-10b 水平思考的自由聯想～自己動動手（參考範例）

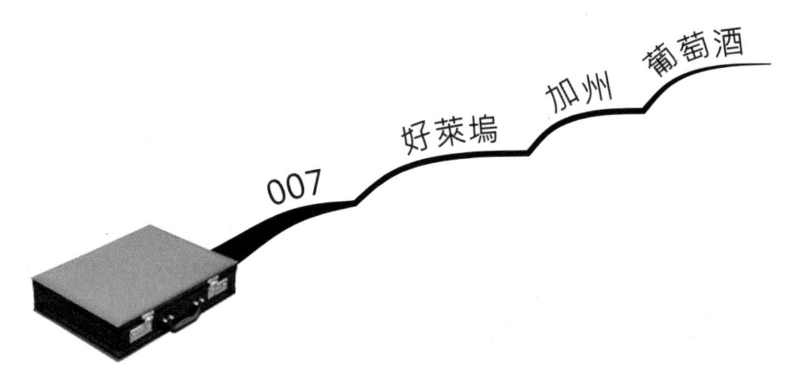

● 圖2-11b 垂直思考的自由聯想～自己動動手（參考範例）

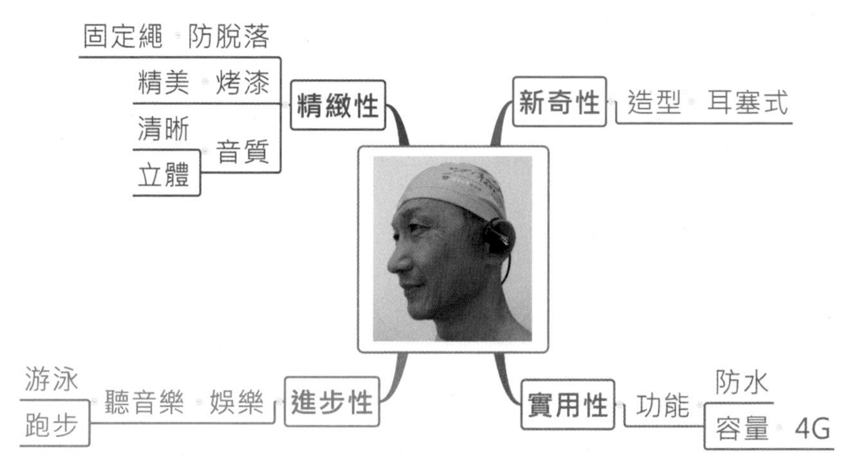

● 圖3-3b 創新四個準則～分析游泳專用Walkman（參考範例）

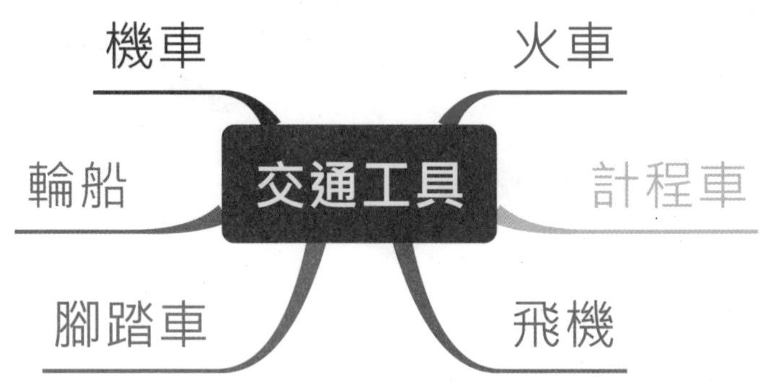

● 圖3-4b 抽象與具體概念之間的聯想～交通工具（參考範例）

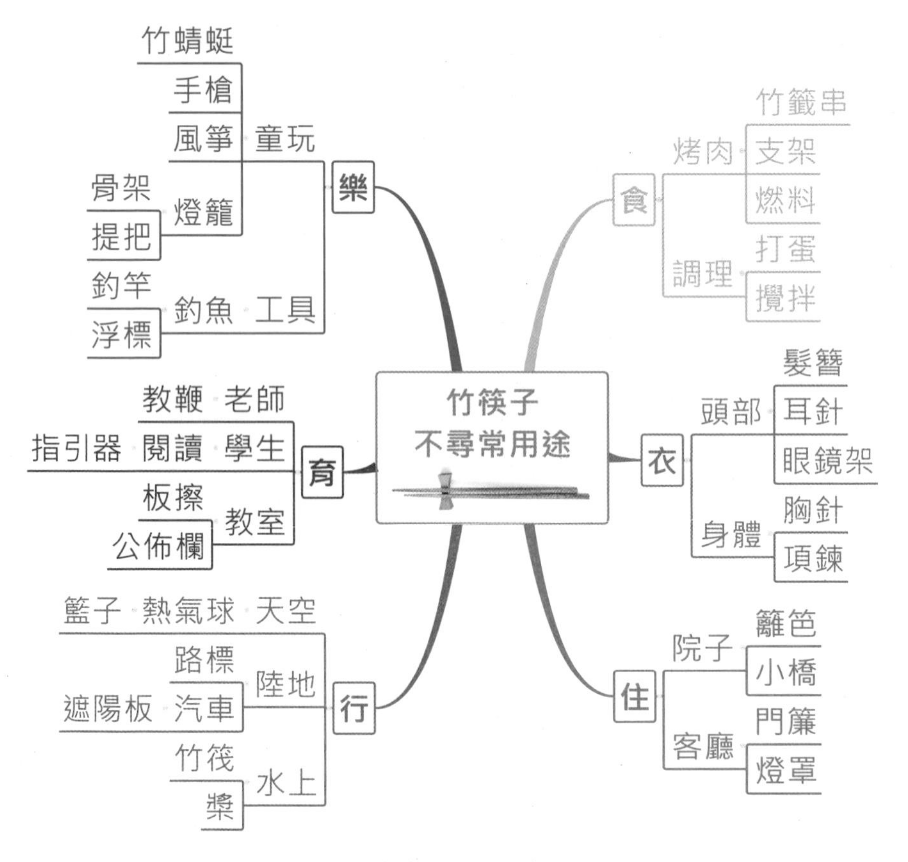

● 圖3-8c 創造思考心智圖（參考範例）

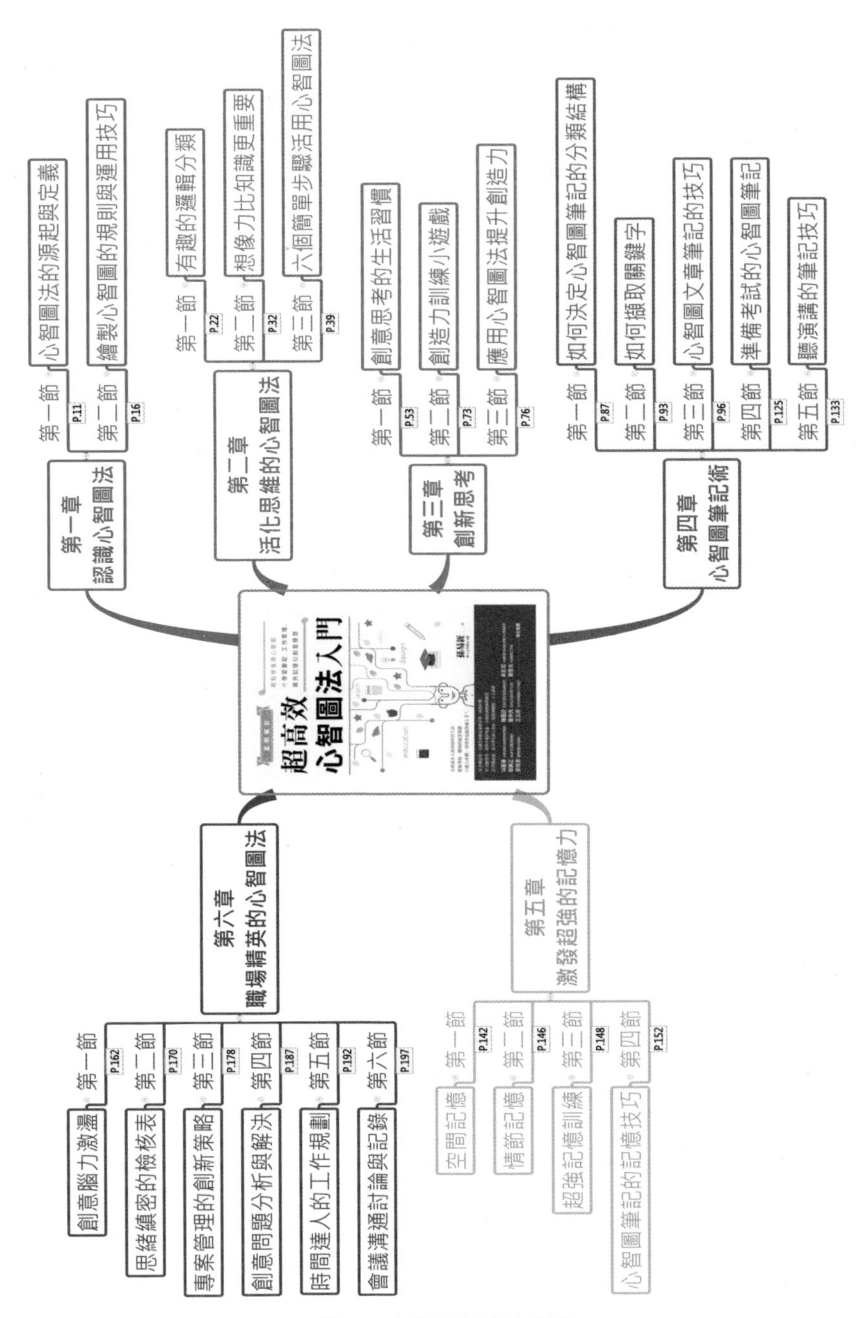

● 圖 4-3b 本書章節目錄心智圖

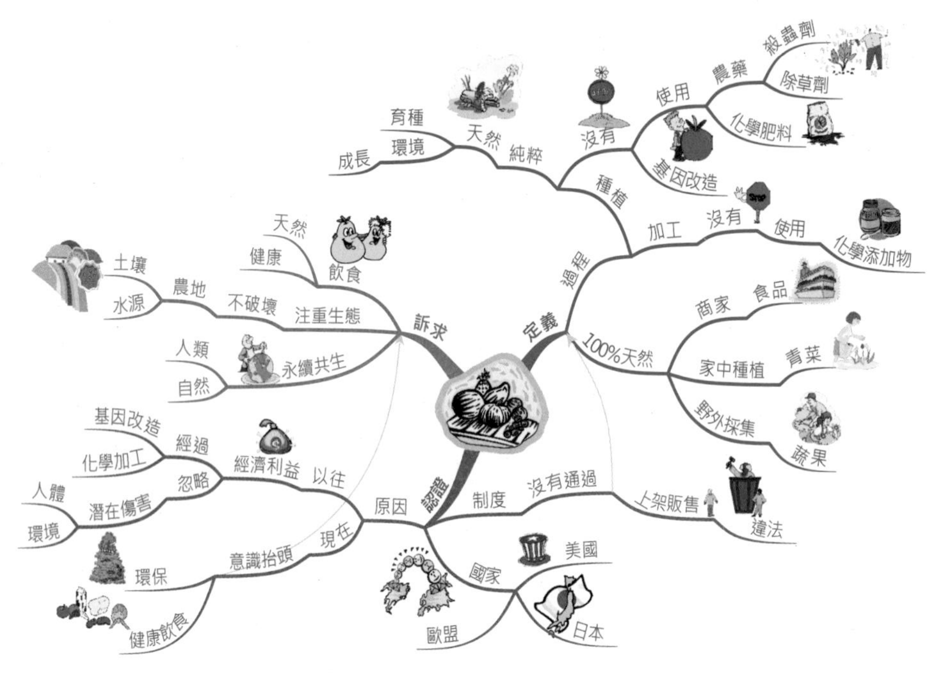

● 圖 4-13e 心智圖筆記：國語文～〈有機食品〉（參考範例）

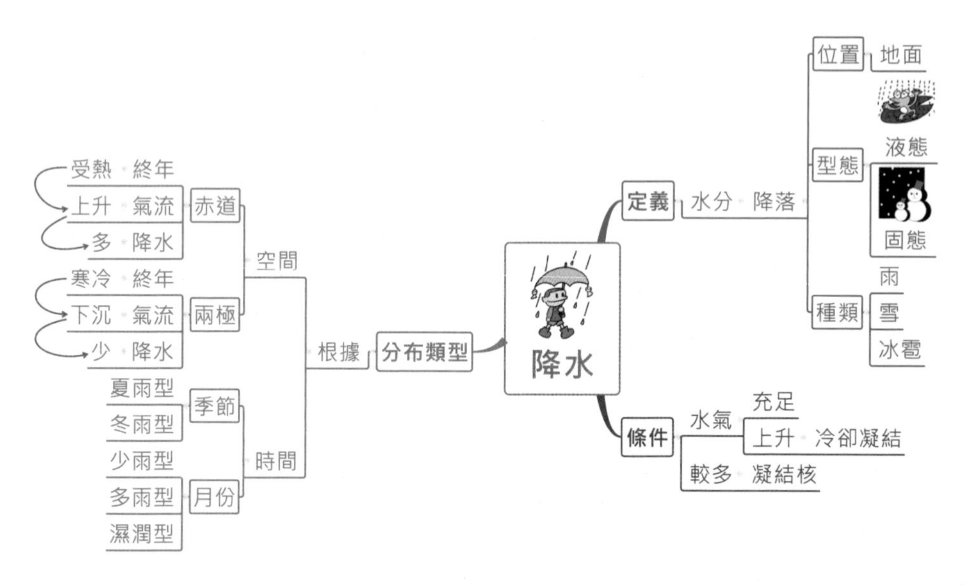

● 圖 4-13f 心智圖筆記：國語文～〈降水〉（參考範例）

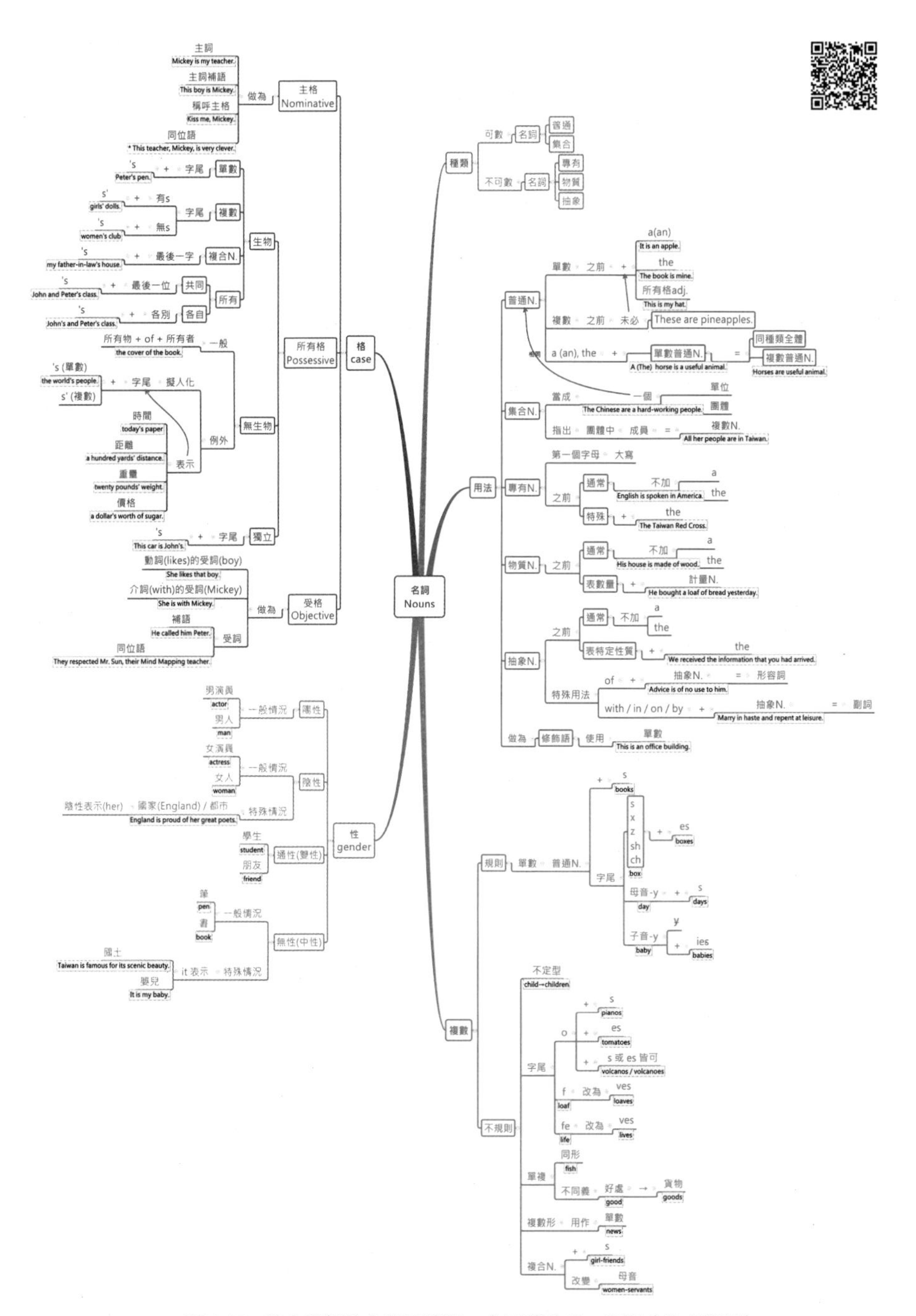

● **圖4-15c 英文詞類的心智圖筆記～自己動動手～名詞（參考範例）**

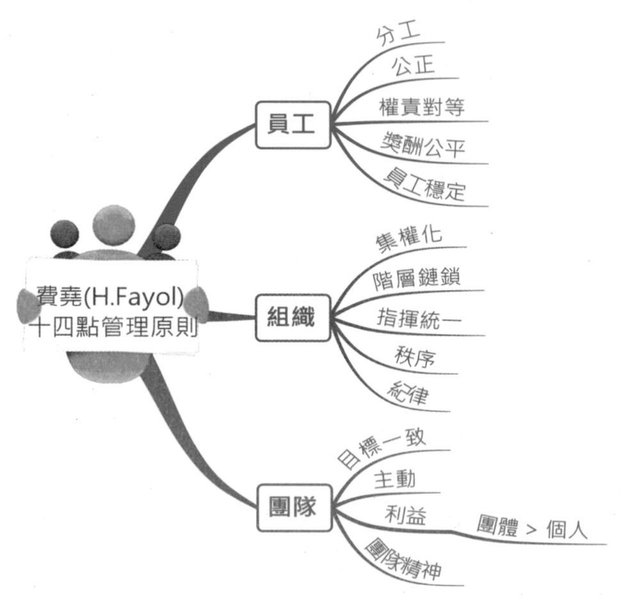

● 圖5-2 企業管理：費堯（H.Fayol）十四點管理原則

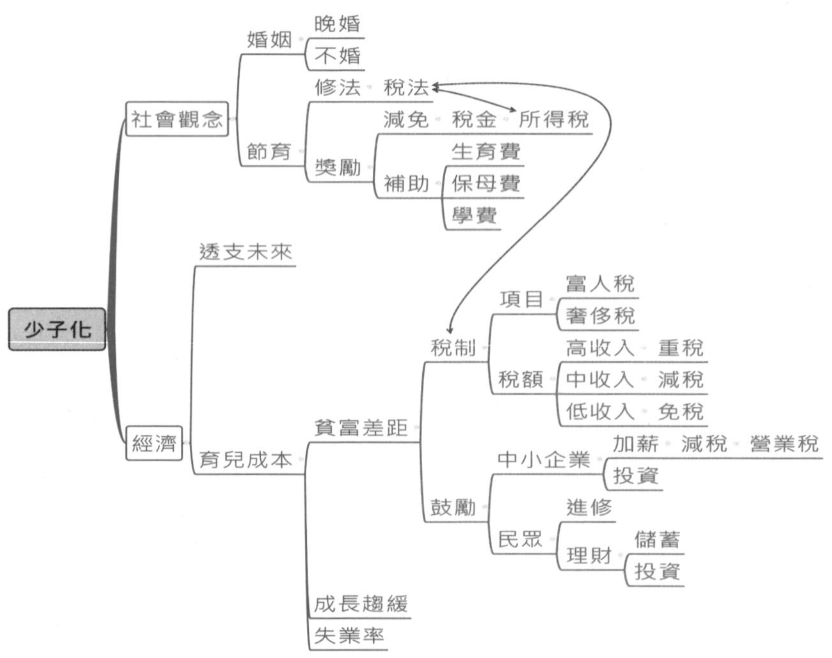

● 圖6-9d 以心智圖分析造成「少子化」的原因與提出解決方案

本書附QR Code心智圖【圖表總目】：http://bit.ly/1PajTgT

※掃描QR Code點選圖號，點小圖看大圖

國家圖書館出版品預行編目資料

案例解析！超高效心智圖法入門：輕鬆學會用心智圖作學習筆記、工作管理、提升記憶和創意發想/ 孫易新著. -- 初版 -- 臺北市：商周出版：家庭傳媒城邦分公司發行, 2015. 12
面； 公分. -- (全腦學習；25)
ISBN 978-986-272-949-6 (平裝)

1.智力 2.思考 3.健腦法 4.學習方法

524.313 104021028

線上版讀者回函卡

全腦學習 25 X

案例解析！超高效心智圖法入門

——輕鬆學會用心智圖作學習筆記、工作管理、提升記憶和創意發想

作　　者／孫易新
企畫選書／黃靖卉

版　　權／吳亭儀、江欣瑜
行銷業務／周佑潔、賴玉嵐、林詩富、吳淑華、吳藝佳
總 編 輯／黃靖卉
總 經 理／彭之琬
第一事業群總經理／黃淑貞
發 行 人／何飛鵬
法律顧問／元禾法律事務所王子文律師
出　　版／商周出版
台北市115南港區昆陽街16號4樓
電話：(02) 25007008　傳真：(02)25007759
E-mail：bwp.service@cite.com.tw
發　　行／英屬蓋曼群島商家庭傳媒股份有限公司城邦分公司
台北市115 南港區昆陽街16號8樓
書虫客服服務專線：02-25007718；25007719
服務時間：週一至週五上午09:30-12:00；下午13:30-17:00
24小時傳真專線：02-25001990；25001991
劃撥帳號：19863813；戶名：書虫股份有限公司
讀者服務信箱：service@readingclub.com.tw
城邦讀書花園 www.cite.com.tw
香港發行所／城邦（香港）出版集團
香港九龍土瓜灣土瓜灣道86號順聯工業大廈6樓A室_E-mail : hkcite@biznetvigator.com
電話：(852) 25086231　傳真：(852) 25789337
馬新發行所／城邦（馬新）出版集團【Cite (M) Sdn Bhd】
41, Jalan Radin Anum, Bandar Baru Seri Petaling, 57000 Kuala Lumpur, Malaysia.
電話：(603) 90563833　傳真：(603) 90576622

封面設計／江孟達工作室
版面設計／林曉涵
內頁排版／林曉涵
內頁插畫／鍾華瑄（P.12、P.23、P.143）
印　　刷／中原造像股份有限公司
經 銷 商／聯合發行股份有限公司
新北市231新店區寶橋路235巷6弄6號2樓
電話：(02) 2917-8022　傳真：(02)2911-0053

■2015年12月29日初版
■2024年10月01日二版一刷
定價400元

Printed in Taiwan

城邦讀書花園
www.cite.com.tw ISBN 978-986-272-949-6